De koningin
van de suspense

KARIN
SLAUGHTER

VERTALING INEKE LENTING

2005

DE BEZIGE BIJ

AMSTERDAM

Cargo is een imprint van uitgeverij De Bezige Bij,
Amsterdam

Copyright © 2005 Karin Slaughter
Copyright Nederlandse vertaling © 2005 Ineke Lenting
Omslagontwerp Studio Jan de Boer, Amsterdam
Omslagillustratie Hollandse Hoogte
Foto auteur John Voermans
Vormgeving binnenwerk CeevanWee, Amsterdam
Druk Nørhaven, Viborg
ISBN 90 234 1833 6
NUR 305

www.debezigebij.nl

Inhoud

Een interview met Karin Slaughter

'Stemmen in het hoofd'

Karin Slaughter doet het lang niet slecht. Wat heet, haar debuutroman *Nachtschade* (2001) werd door de *Washington Post* meteen uitgeroepen tot 'Thriller van het jaar'. Haar uitgever gaf haar daarop een contract voor drie boeken. En dus kon ze eindelijk aan de slag met haar droom. Net als veel andere auteurs wilde Slaughter haar hele leven al schrijven. "Schrijven boeit me, het is een gevoel dat ik niet los kan laten. Maar dat ik er ooit van zou kunnen leven, dat mijn boeken gepubliceerd, verkocht én gelezen zouden worden, verraste mij."

Slaughter is de auteur van een serie thrillers: *Nachtschade* (2001), *Zoenoffer* (2002), *Een lichte koude huivering* (2003) en *Onzichtbaar* (2004). Inmiddels is nummer vijf in de serie ook af: *Trouweloos* ligt in het najaar van 2005 in de winkels. De thrillers gaan over drie personen die werken en wonen in het fictieve plattelandsdistrict Grant County. Sara Linton is lijkschouwer en kinderarts, haar ex-echtgenoot Jeffrey Tolliver is commissaris van de politie en Lena Adams is de enige vrouwelijke rechercheur van het korps. Hun levens zijn onlosmakelijk met elkaar verbonden en staan in het teken van misdrijven en geweld. "Sara, Jeffrey en Lena hebben allemaal iets van mij in zich. Als ik aan het werk ben, zie ik hen voor me. Sara is lang en heeft rood haar. Ze is voor mij een soort ideale vrouw. Ik denk dat ze vrij rustig is en ontzettend goed in wiskunde. Zij is mijn interesse in de wetenschap. Jeffrey uit het rechtvaardige deel van mijn karakter. Het deel dat wil dat alles zwart en wit is. En Lena vertegenwoordigt mijn temperament toen ik jong was. Godzijdank ben ik dat ontgroeid, misschien lukt dat haar ook nog wel."

Helter Skelter

Slaughter laat haar karakters groeien in haar boeken. Ondanks dat zij nergens een specifieke leeftijd noemt, merk je in de vierde thriller dat Sara, Lena en Jeffrey volwassener zijn dan in de eerste. Voor die ontwikkeling zou je de boeken wel in de juiste volgorde moeten lezen. Slaughter benadrukt dat dit voor de verhaallijn niet nodig is. Elk boek kent een op zichzelf staand plot. "Ik vind niets zo erg als in een boekwinkel staan met een interessante titel in mijn handen, en dan te horen krijgen dat ik eerst de voorgaande vijf delen moet lezen. Als je midden in mijn serie begint, hoop ik natuurlijk wel dat je ooit terug zult gaan naar de eerste delen, om erachter te komen wat er allemaal nog meer is gebeurd."

Als meisje van dertien las Slaughter *Helter Skelter*, het verslag van de gruwelijke moorden van Charles Manson en zijn volgelingen. Ze is altijd geïnteresseerd geweest in duistere verhalen. Nu wil ze schrijven over geweld en misdaad in kleine steden. "In een grote stad zijn dit soort zaken aan de orde van de dag. In kleinere plaatsen worden ook vrouwen verkracht, misdrijven gepleegd en kinderen mishandeld. Maar daar houdt men het stil. Als ik een crimineel zou zijn, zou ik in een kleine plaats gaan wonen. Bewoners gaan op basis van vertrouwen met elkaar om, je kunt er gemakkelijk verstoppertje spelen. Niemand verwacht geweld. En daarom is het ook zo beangstigend."

Slaughters werkwijze is redelijk uniek. Ze begint met een titel. Zo was ze het ook gewend toen ze nog in de reclame werkte. "Ik houd van spelen met woorden. Puzzelen met een *heading* en dan komt de rest vanzelf." De Amerikaanse leeft zich in een desastreuze situatie in en vraagt zich af hoe Sara, Lena en Jeffrey erop reageren. "Ik denk dat schrijvers op de een of andere manier schizofreen zijn. De verhalen gaan maar door in mijn hoofd, ik hoor stemmen. Ik weet zeker dat er een chemische stof in mijn hersenen zit die vreselijke gedachten bij mij teweegbrengt."

Als Slaughter aan een boek begint, heeft ze geen idee hoe het zal eindigen. "Dat klinkt misschien gek, maar als ik vóóraf weet hoe het gaat eindigen, denk ik niet dat ik het nog kan schrijven. Het verhaal ontwikkelt zich terwijl ik schrijf." De auteur houdt het dus spannend, ook voor zichzelf. Ze vindt dat in veel literaire romans de nadruk ligt op karakters en relaties, en dat dit niet zelden ten koste gaat van de suspense. Een misdaadroman móét een plot hebben. "Iemand moet doodgaan en ik moet uitvinden waarom. En ja, het is moeilijk om een goede plot te bedenken die niet bol staat van de clichés. Bovendien heb ik een hekel aan formules in boeken. Ik wil verrassen, elke keer weer."

Realistisch
Slaughter heeft de reputatie erg levendige beschrijvingen te maken. De moorden, verkrachtingen en gijzelin-

gen in haar boeken worden al lezend op je netvlies ge-
print. Er zijn veel lezers die haar daar om bewonderen,
maar er zijn er ook die walgen van haar directe schijfstijl.
Zelf vindt ze dat het wel meevalt met die uitgebreide, re-
alistische beschrijvingen. "Ik vind eigenlijk dat ik me
nog inhoud. Door niet alles te vertellen, blijft er in je
hoofd ruimte over om je eigen verhaal te vormen. Ik geef
alleen een handvat. Wat er in je hoofd gebeurt, is veel
angstiger dan ik ooit op papier kan krijgen. Na *Zoenoffer*
kreeg ik een brief van een lezeres die vond dat ik te ver
was gegaan in een passage over een kind dat seksueel
mishandeld zou zijn. Ik heb deze mevrouw terugge-
schreven om te vragen waar ze dat in het boek had gelezen. Daarop mailde ze me dat ook zij het niet meer terug
kon vinden. Ik had het niet geschreven, ze had het verhaal in haar hoofd toegevoegd aan mijn boek. Zo krijgt
iedereen iets anders mee van een boek. Dat maakt lezen
ook zo persoonlijk."

Zelf wordt Slaughter niet bang van de gedetailleerde
gruwelheden in haar boeken. Als ze schrijft, is ze *in con-
troll.* "Enge films kan ik niet zien, daar ben ik dan wél
weer bang voor. Maar als ik een boek lees, ken ik mijn
grenzen. Een boek maakt een film in mijn hoofd en die
regisseer ik zelf."

Afgelopen jaar maakte Slaughter ook een boek buiten
de Grant County serie, *Vervloekt geluk.* Ze nodigde succesvolle thrillerauteurs uit de Verenigde Staten, Engeland en Nederland uit om mee te schrijven aan een
kettingverhaal. In *Vervloekt geluk* wisselt een bedelarmband voortdurend van eigenaar. Overal waar de armband opduikt, zaait hij dood en verderf onder de vinders. Het verhaal speelt zich steeds af op de favoriete

locatie van de schrijver. Zo reist de armband van Georgia naar Leeds, naar Londen en naar Amsterdam. Tomas Ross schreef de Nederlandse bijdrage. Volgend jaar verschijnt nog een boek dat niets te maken heeft met Grant County. De Nederlandse titel staat nog niet vast. In Amerika verschijnt het boek onder de titel *Triptych*. Het is een misdaadverhaal dat zich afpeelt in Atlanta. Meer wil Slaughter er niet over kwijt.

De boeken van Slaughter worden in 23 landen gepubliceerd. Er komt altijd wel ergens een boek uit. Ze krijgt veel reacties van lezers, zo'n honderd per week. De meeste zijn vriendelijk, die krijgen dan ook een persoonlijk antwoord. Vervelende mails beantwoordt ze niet. Die stuurt ze door naar vrienden, zodat ze er samen om kunnen lachen. Recensies leest Slaughter sinds twee jaar niet meer. "Het is te gemakkelijk om overstuur te raken van een slechte recensie en de tien goede te negeren. Ik kan er niet mee omgaan. Soms zie ik mensen een boek van mij lezen, maar dan durf ik echt niet te vragen wat ze ervan vinden. Ik geloof ook niet dat ík het zou kunnen waarderen als de schrijver van het boek dat ik in het openbaar aan het lezen ben, op me afkomt."

Uit: *Boek*, februari 2005.
Tekst: Yvonne Brok

Onmisbare vrouwen

Ik was veertien toen ik mijn moeder zag sterven. Ze greep naar haar keel; haar bleke huid trok grauw weg en het bloed sijpelde tussen haar vingers door, alsof ze een spons uitkneep in plaats van zich aan het leven vast te klampen. Ze was amper dertig toen ze doodging, maar de jaren met mijn vader telden dubbel. Door haar donkere haar liepen zilveren strepen, als lijnen op een schoolbord, en haar ogen hadden iets hards, zodat je je blik snel afwendde voor je door het verdriet werd meegezogen.

Ik probeer daar niet meer aan te denken, aan dat laatste beeld van mijn moeder. Als ik mijn ogen dichtdoe, denk ik aan al die zaterdagavonden dat ik op de vloer van de woonkamer zat en mijn moeder op een stoel achter me, en dan borstelde ze mijn haar om het mooi te maken voor de zondagsdienst. Mijn moeder was eigenlijk niet zo godsdienstig, maar we woonden in een stadje pal op de grens tussen Georgia en Alabama, waar de mensen al snel kletsten. Ik ben blij dat we dat soort avonden hadden, want nu ze er niet meer is, kan ik eraan terugdenken en dan voel ik de borstel soms weer door mijn haren gaan, en mijn moeders hand die zachtjes op mijn schouder drukt. Dat geeft me troost.

We woonden in een huis met drie kamers, gebouwd van betonblokken, die de hitte vasthielden als in een oven. Gelukkig waren er pecanbomen die hun schaduw op het dak wierpen, zodat we niet de volle laag van de zon kregen. In een streek waar de temperatuur regelmatig tot boven de vijfendertig graden stijgt, maakt dat wel wat uit. 's Zomers plukten we de pecannoten, zoutten ze en verkochten ze aan de vakantiegangers die op weg waren naar de Florida Panhandle. Soms bracht mijn vader pinda's mee en die kookte mijn moeder dan. Ik zie haar nog voor de kookpot staan en met een lange lat in de pinda's roeren, haar schenen felrood van het open vuur onder de pot.

Ons leven verliep volgens een vast patroon, en ook al kan ik niet zeggen dat we gelukkig waren, we behielpen ons met wat we hadden. 's Avonds hoorden we de mensen soms toeteren als ze de grens met Alabama overstaken, en dan kreeg mijn moeder een weemoedige blik in haar ogen. Ze zei nooit iets, maar ik weet nog dat mijn maag in een kramp schoot de allereerste keer dat ik die blik zag en besefte dat mijn moeder misschien niet gelukkig was, dat ze misschien helemaal niet hier wilde zijn, bij mijn vader en mij. Zoals de meeste dingen ging ook dit voorbij, en algauw schonken we geen aandacht meer aan de toeterende vakantiegangers. Zo halverwege de zomer ging het tijdens de maaltijd altijd van: 'Geef me de...' *toettoet.* Of: 'Mag ik nog wat...' *toettoet.*

Mijn vader was vrachtwagenchauffeur; hij werkte nu eens voor het ene bedrijf en dan weer voor het andere en reed in zijn truck het hele land door. Vaak bleef hij weken achtereen weg, een enkele keer zelfs maanden. Als hij thuis was, sliep ik meestal op de bank, maar als hij weg was, sliep ik altijd bij mijn moeder in het grote bed. Dan bleven we tot laat op de avond wakker en praatten over hem, want we misten hem allebei. Dat zijn geloof ik de mooiste herinneringen die ik aan mijn moeder bewaar. Die avonden wanneer het licht uit was en het werk aan kant: wanneer alle vloeren geboend waren, alle maaltijden bereid en alle overhemden gestreken. Mijn moeder had in die tijd twee baantjes: overdag maakte ze de wc's schoon in het bezoekerscentrum aan de Alabama-kant van de grens, en 's avonds werkte ze in de wasserij. Als ik bij haar in bed lag, rook ik een vreemde mengeling van bleek- en wasmiddelen. Als dat mes haar niet gedood had, denk ik vaak, zou ze door de chemicaliën voortijdig aan haar eind zijn gekomen.

Ongeveer een week voor haar dood wilde mijn moeder met me praten. We waren vroeg naar bed gegaan, bij het vallen van de schemering, want ze moest de volgende ochtend om vier uur op haar werk zijn. Regen striemde over het zinken dak: een sussend geluid waar we slaperig van werden. Ik was al bijna vertrokken toen mijn moeder zich omdraaide in bed en me weer wakker porde.

'We moeten praten,' zei ze.

'Shh-shh-shh,' waarschuwde de regen, op bepaald niet zachte toon.

Mama's stem verhief zich boven het geruis, en ze klonk streng. 'We moeten nu echt praten.'

Ik wist wat ze bedoelde. Er was een jongen op school, Rod Henry, die de laatste tijd belangstelling voor me begon te tonen. Hoewel ik hem geen aanleiding had gegeven, was hij bij mijn halte uit de bus gestapt in plaats van bij zijn eigen huis, zo'n vijf kilometer verderop. Het enige wat ik interessant vond aan Rod Henry was dat hij een jongen was en een stuk ouder dan ik, een jaar of zestien. Op zijn bovenlip zat iets wat je met een beetje goede wil een snorretje kon noemen, en zijn haar was lang genoeg om in een staartje te doen. Toen hij me meetrok achter de pecanhut op het voorerf verzette ik me niet. Uit pure nieuwsgierigheid liet ik me door hem kussen. Uit pure nieuwsgierigheid liet ik me door hem betasten.

'Die Rod Henry,' zei mijn moeder, 'daar moet je voor uitkijken.'

'Hij heeft een tattoo,' zei ik, want dat had ik gezien. 'Ik vind hem niet echt aardig.'

'Ik vond je vader ook niet echt aardig toen ik hem pas kende,' zei mijn moeder. 'Maar die dingen overkomen je nou eenmaal.'

Ik wist dat ik zo'n ding was dat mijn moeder was overkomen, zo'n ding waardoor ze op haar vijftiende van school moest, zo'n ding waardoor ze nu in het bezoekerscentrum wc's schoonmaakte in plaats van in een warenhuis in Mobile te werken, zoals ze van plan was geweest zodra ze haar school had afgemaakt. Haar zus Ida was daar manager en ze hadden het er al jaren over gehad dat mijn moeder bij Ida zou gaan werken wanneer ze van school kwam. Ze zou bij Ida in de flat gaan wonen en ze zouden hun geld op de bank zetten en op een dag zouden ze een stel aardige, nette jongens ontmoeten en trouwen. Het was een volmaakt plan, tot mijn vader op het toneel verscheen.

Als je mijn moeder moest geloven, was de romantiek ver te zoeken toen mijn vader haar veroverde. Alles deed ze voor het eerst, die avond die haar leven zou veranderen. Ze rookte haar eerste sigaret, ze dronk haar eerste biertje, ze kreeg haar eerste zoen, ze had voor het eerst seks.

'Meer is er niet voor nodig, liefje,' zei mijn moeder; ze

sloeg haar vingers om mijn arm en haar stompe nagels voelden als scherven gloeiend metaal. 'Eén keer is genoeg.'

Ik sloot mijn ogen en begon zomaar te huilen. Ik stelde me voor hoe het geweest moest zijn voor mijn moeder – die op dat moment maar een paar jaar ouder was dan ik nu – toen mijn vader voor het eerst boven op haar ging liggen. Hij was geen zachtaardig man, en bovendien was hij groot, minstens een meter negentig, met een brede borst en armen die zo gespierd waren dat hij de mouwen van zijn T-shirts moest afknippen voor hij ze aantrok. Mijn vader was tweeëntwintig toen hij mijn moeder ontmoette, en hij had haar er ingeluisd, zei ze, met zijn wereldwijze manieren.

'En dan die pijn,' mompelde mijn moeder. 'Hij scheurde me zowat doormidden.'

Ik knikte begrijpend. Ze was een kleine vrouw, met tengere polsen en een slanke taille. Ze had iets breekbaars over zich waardoor menigeen zich om de tuin had laten leiden. Mijn vader zei vaak dat ze vel over been was, maar ik vond haar eerder vel over spier. Ik strekte mijn hand naar haar uit en streelde haar arm, die pezig en hard was van al het werk. Een reepje licht viel door het raam naar binnen. Nu de last van de dag van haar was afgegleden, stond haar gezicht ontspannen, en ik zag het jonge meisje voor me dat ze geweest moest zijn voor mijn vader haar te pakken kreeg. Ik zag hoe mooi ze geweest moest zijn in zijn ogen, en ik zag ook dat ze alles was wat ik niet was. Naast haar voelde ik me net een monster.

Opeens draaide ze haar hoofd om: alle zachtheid was verdwenen en over haar voorhoofd liep een diepe rimpel. 'Luister je eigenlijk wel?' wilde ze weten, en in de kleine ruimte klonk haar stem laag en scherp.

'Ja, mama,' mompelde ik, en ik trok mijn hand terug, alsof ik een slang had aangeraakt. Ze bleef me een tijdje zo aankijken en verlamde me met de woede en angst die ik in haar binnenste zag broeien. Ze had me nog nooit geslagen, maar ze straalde agressie uit, alsof ze zich elk moment op me kon storten om me te wurgen.

'Doe niet zoals ik, liefje,' zei ze. 'Blijf niet bij je vader in dit huis hangen, zoals ik.'

Nu kwamen de echte tranen. 'Dat zal ik niet doen, mama,' fluisterde ik.

Ik zag aan haar blik dat ze me niet geloofde, maar ze wist dat er niets tegen te doen viel. Ze keerde me haar rug toe en viel in slaap.

Mijn moeders waarschuwing kwam te laat, natuurlijk. We wisten het geen van beiden, maar op dat moment was ik al zwanger.

Na haar dood moest ik bij mijn vader aan tafel komen zitten. Hij plantte zijn ellebogen op het tafelblad en sloeg zijn handen ineen. Het viel me op dat zijn twee handen samen groter waren dan mijn hoofd. Hij rook naar pijptabak en zweet. Zijn baard brak door, hoewel hij anders altijd gladgeschoren was. Het heengaan van mijn moeder was een zware klap voor hem geweest.

'Nu je mama er niet meer is,' zei hij, 'ben jij hier de vrouw in huis.' Hij zweeg en haalde zijn brede schouders even op, als om zich te verontschuldigen. 'Schoonmaken, koken, de was. Allemaal van die dingen waarbij een vrouw onmisbaar is.'

In zijn stem klonk oprecht verdriet en ik voelde een pijnscheut door me heen trekken. Ik rende van tafel en gaf over in de gootsteen. Achteraf weet ik niet of de golf van gal die naar mijn strot steeg door de baby kwam of door mijn vaders woorden.

Ongeveer een halfjaar later – mijn vader was weg voor zijn werk – begon de pijn. Ik was alleen thuis, was al drie weken alleen thuis. Ik ging niet meer naar school en niemand had de moeite genomen om te kijken waarom ik niet kwam opdagen. Ik was fors gebouwd en torste mijn gewicht voor me uit, en het viel niemand op dat mijn buik dikker werd. Ik had geen idee dat ik zwanger was, en toen ik niet meer ongesteld werd, vatte ik dat op als een geschenk van God in plaats van als een teken dat ik een kind kreeg. Ik was vijftien tegen die tijd, niet zo oud als mijn moeder toen ze mij kreeg, en op dat gebied erg onnozel, moederloos als ik was.

De tweehonderd dollar die mijn vader voor me had achtergelaten om eten van te kopen, was tegen de derde week op. Ik was een kind en kon nog niet met huishoudgeld omgaan. In de keukenkastjes stonden pakken limonadepoeder en de koelkast had ik gevuld met *iced tea*, maar op de planken was hoegenaamd niks voedzaams te vinden. Het was hartje winter en abnormaal koud, en behalve de pecandoppen die ik in de haard opstookte, had ik geen brandstof. Door de kou en de honger moest het wel verkeerd aflopen met mijn baby. Ik weet dat ik er schuld aan heb.

Die ochtend had ik het .22 geweer van mijn vader gepakt en een eekhoorn geschoten, maar er zat weinig vlees aan en ik had het geloof ik niet lang genoeg gekookt. Om zes uur 's avonds kreeg ik hevige pijnen. Eerst dacht ik dat het darmkrampen waren door het slechte vlees, maar algauw ging de pijn over in scherpe weeën. Ik dacht dat ik doodging. Ik dacht aan mijn moeder, en toen vond ik het eigenlijk wel best.

De nacht ging voorbij, toen de volgende dag en toen kwam er weer een nacht. Op een gegeven moment had de pijn me zo in zijn greep dat ik een van de stoelen zowat aan barrels sloeg. We hadden geen telefoon thuis, en ook al hadden we die wel gehad, dan zou ik niet hebben geweten wie ik moest bellen. Ik wist niet waar mijn vader was en op school had ik geen vriendinnen.

De baby kwam op de derde dag, tegen een uur 's nachts. Het was een nietig wurmpje, met maar één arm en een knobbeltje waar haar linkervoetje hoorde te zitten. Toen ik haar oogjes open priegelde, waren ze donkerblauw, maar dat geldt voor de meeste baby's. De navelstreng zat om haar hals gewikkeld en daar zal ze wel aan gestorven zijn. Ik zei boven haar hoofdje een gebed op en smeekte God om haar op te nemen in Zijn huis, ook al was ze misvormd en had ze geen vader.

De grond was te hard om haar in te begraven. Ik wikkelde haar in een oude deken en legde haar achter de kookpot in de pecanhut. 's Nachts werd ik af en toe wakker en dan meende ik haar te horen huilen, tot ik besefte dat ik het zelf was. Twee weken verstreken voor de grond ontdooide, en toen begroef ik mijn baby in een grafje naast mijn moeder, achter het huis. Ik legde een steen op de aardhoop, knielde neer en vroeg of ze me beiden wilden vergeven. Toen mijn vader de volgende dag thuiskwam, zag ik daarin een teken dat mijn gebed was verhoord.

Ik maakte *chitterlings,* stoofpot van darmen, van een varken dat hij achter in zijn truck had meegenomen.

'Lekker, die chitterlings, lieffie,' zei mijn vader terwijl

hij een volle vork in zijn mond schoof. 'Net zoals je moeder ze maakte.'

Zijn ogen schoten vol en medelijden zond een steek door mijn hart, zoals ik nog nooit eerder had gevoeld. Hij had van mijn moeder gehouden. Het maakte niet uit wat de drank met hem deed of waar zijn drift hem toe dreef, hij had van haar gehouden.

'Ik weet nog dat je deze maakte toen je moeder...' Zijn stem sloeg over. Met moeite plooide hij zijn gezicht tot een glimlach. 'Kom eens bij me op schoot zitten, wijffie. Vertel eens wat je allemaal hebt uitgespookt toen ik weg was.'

Ik vertelde hem niet over Laura Lee, mijn kleine meisje dat achter op het erf lag, naast mijn moeder. Ik verzon verhalen over lessen die ik niet had gevolgd, over vriendinnen die ik niet had. We lachten samen, hij rookte zijn pijp, en toen ik mijn hoofd op zijn schouder legde, troostte hij me.

Na een tijdje duwde hij me van zich af en toen ik aan zijn voeten ging zitten, stak hij van wal. 'Hoor eens, schat,' begon hij, woorden die hij altijd gebruikte wanneer hij iets moeilijks ging zeggen. Die eerste keer had hij precies hetzelfde tegen me gezegd, wist ik nog. Ik lag op de bank, mijn moeder sliep in de kamer ernaast, en mijn vader kwam binnen en schudde me wakker. 'Hoor eens, schat,' had hij toen gezegd, en nu zei hij het weer.

'Ik heb een dame ontmoet,' vervolgde hij, en het hart zonk me in de schoenen. 'Ze komt gauw eens langs.' Hij lachte zachtjes. 'Jezus, misschien komt ze na een tijdje wel bij ons wonen als het een beetje klikt. Kan ze je wat werk uit handen nemen. Wat vind je daarvan?'

Ik veegde mijn mond af aan de rug van mijn hand en

ging op mijn hurken zitten. Ik zag mijn moeder weer in de keuken staan, die dag, en haar haren wassen bij de gootsteen. Ik wist weer hoe kwaad ik was geweest toen ik hen de vorige avond had gehoord. Hij had me bezworen dat hij niet meer met haar ging, hij had gezegd dat hij mij alleen nodig had omdat hij haar niet meer mocht aanraken. En toen had ik ze samen in bed gehoord, ronkend als varkens. Ik was de kamer in gelopen en had hem daar bezig gezien, met zijn mond tussen haar benen, tot haar lichaam zich spande en ze zijn haren vastgreep.

Ik balde nu mijn vuisten en ik voelde mijn moeders haar weer tussen mijn vingers terwijl ik haar hoofd naar achteren rukte. Mijn vader zou die avond thuiskomen, dus ik moest snel zijn. Klein als ze was, wist ik dat haar handen sterker waren dan de mijne. Het lemmet was scherp, maar iemand kelen is net zoiets als een kip de kop afsnijden. Je moet het mes er meteen op de goede plek insteken, want anders gaat het er niet helemaal doorheen. Ik moest zes keer hakken voor haar nek doormidden was.

Tegen de tijd dat ik haar hoofd eraf had, was het mes stomp, maar niet bij de punt, en toen ik ermee tussen haar benen kerfde, klapte het vlees dubbel als een stuk lever. Ik nam de kookpot om het eten in te bereiden, en mijn vader kreeg hetzelfde voorgeschoteld waar hij zich de vorige avond te goed aan had gedaan.

Mijn vader krabde over zijn kin en schonk me een ongemakkelijk lachje. 'Je moeder is er zomaar van tussen gegaan,' zei hij schouderophalend. 'Geen briefje, geen afscheid.' Hij leunde achterover op zijn stoel, een verontschuldigende glimlach op zijn gezicht. 'Ik heb ook zo mijn behoeften.'

'Dat weet ik, papa,' antwoordde ik, en met bevende vingers knoopte ik mijn bloesje dicht.

'Ik bedoel, tussen ons hoeft niks te veranderen. Je weet dat je altijd mijn meisje blijft.'

'Dat weet ik, papa,' mompelde ik.

'Vind je het dan goed, schat?' vroeg mijn vader, en hij ging staan om zijn broek dicht te ritsen.

'Ja hoor, papa,' zei ik, en ik probeerde nog opgewekt te klinken ook. Ik keek naar hem op en schonk hem mijn liefste glimlach. 'Waarom nodig je haar volgende week zondag niet uit? Voor het eten.'

Aan de grond genageld

Blood Mountain, Georgia, 1803

Macon Orme was zo uitgehongerd toen hij de strik met de eekhoorn vond dat hij het beest met zijn blote handen vastgreep en er zijn tanden in zette. De warme golf bloed sloeg als gif in zijn maag en kokhalzend verzwolg hij het vettige vlees, maar terwijl hij zich te goed deed aan de malse onderbuik van de eekhoorn sloeg het dier zijn messcherpe klauwen in zijn gezicht en haalde het aan weerszijden open.

Verzadigd liet hij zich achterover tegen een rotsblok vallen; hijgend en stokkend haalde hij adem, de nasmaak van de eekhoorn als stroop in zijn keel. Zijn maag borrelde en hij legde zijn hand erop, alsof hij het rumoer tot bedaren wilde brengen. Hij voelde het bloed langs zijn kin druipen en ving het op met zijn mouw, in de hoop dat het teken van zijn zonde niet zichtbaar zou zijn op de donkere stof van zijn overhemd.

'Het spijt me,' zei hij, hoewel de man die de val had gezet zijn verontschuldigende woorden niet zou horen.

Drie dagen waren verstreken sinds hij aanwezig was geweest bij de *poctaw*, de wenskring van de Elawa. Honger en hallucinaties gingen vaak samen, en toen Macon zijn ogen sloot, zat hij daar weer. Hij kon de rook van het vuur ruiken, voelde donker haar langs zijn blote arm strijken. De vrouw had pal voor zijn ogen rondgewerveld, halfnaakt, in een dans die voor haar volk een religieuze betekenis had, maar in Macon slechts verschroeiende lust had opgewekt. Hij kneep zijn ogen dicht en verbeeldde zich dat hij in haar drong en zelf het wervelen onderging. Het was jaren geleden dat hij gemeenschap met een vrouw had gehad zonder er eerst voor te moeten betalen. Jaren die opgeslokt waren door het moeras van zijn bestaan in de bergen. Toen hij haar in zijn verbeelding onder zich voelde liggen, deden zijn ballen pijn van verlangen, ondanks de kille winterwind die door de bomen raasde.

Macon kwam overeind. Hij kon niet anders. Hij voelde een steek van wroeging omdat hij zijn zelfopgelegde vasten had verbroken, maar drie dagen zonder voedsel waren een eeuwigheid voor een man wiens buik maar al te vertrouwd was met het knagen van de honger. Hij had wel vaker pech gehad en het zonder eten moeten stellen, maar nu leek het of zijn lichaam telkens als hij aan de vrouw dacht om meer voedsel vroeg dan ooit tevoren. Als hij niet zo intens naar haar verlangde, zou hij haar haten.

De dieren leken hem uit te dagen, alsof ze zijn verlangen aanvoelden; telkens kruisten ze zijn pad, doken in zijn gezichtsveld op en schoten weer weg. Een hert stond midden in het bos en nam hem aandachtig op, alsof het Macons ziel wilde doorgronden. Een konijn volgde hem wel anderhalve kilometer, op zijn dooie gemak in zijn voetsporen voorthuppend, af en toe even stoppend om zijn snoetje te wassen. Hij had het grootste deel van zijn leven aan de jacht op deze dieren gewijd en had er honderden gevangen: hij had strikken gezet en stalen klemmen, die zo diep sneden dat hij tijdens zijn wekelijkse ronde soms slechts een geamputeerde poot aantrof in plaats van een complete prairiehaas. Het gebeurde ook wel dat hij nog tandafdrukken zag aan het uiteinde van een stompje bot, waar het dier zijn poot had afgeknaagd om zichzelf te bevrijden. Het waren sluwe schepsels, vol overlevingsdrang. Macon had respect voor ze, want hij herkende iets in hen wat hij ook bij zichzelf waarnam. Ook hij zou overleven.

Hoewel, de laatste tijd vroeg hij zich af wat zijn overlevingsstrijd hem kostte. Macon had al jaren geen spiegel meer in gekeken, maar vaak, als hij wilde drinken, zag hij zichzelf weerkaatst in het water van een beek. De ouderdom had meedogenloos toegeslagen. Zijn baard was met grijs doorvlochten en als hij al eens met zijn vingers door zijn haar kamde, zat zijn hand vol losse plukken en staken de haarwortels omhoog als nietige stukjes van zijn jeugd.

Ooit was ijdelheid een tweede natuur voor Macon Orme geweest. Hij had olie in zijn haar gesmeerd en het gemodelleerd met een benen kam die van zijn vader was geweest. Op zaterdag had hij altijd een bad genomen voor hij naar het wekelijkse bal ging, waar hij zijn buurmeisje dicht tegen zich aan hield, haar muskusgeur opsnoof en zich verbeeldde dat hij met zijn onderlijf tegen het hare schuurde. 's Zondags had hij een gesteven boord gedragen waaraan hij zijn hals openhaalde, en een broek met een keurige vouw in de pijpen. In zijn zak had een horloge gezeten, aan een dun zilveren kettinkje. Macon Orme was boer geweest, een man die zich bezighield met het verstrijken van de seizoenen. Toen kwamen de Muscogee en verwoestten de boerderij. De indianen kenden geen genade. Ze stalen de paarden en lieten zijn moeder zo schrikken dat ze naar haar hart greep en dood neerviel. Ze vernietigden de oogst, en wat ze niet op hun paarden konden meenemen, staken ze in brand. Ze pakten alles, alsof het hun toebehoorde.

Macon sloeg met zijn vuist tegen zijn dijbeen. Kijk hem nou, vijftien jaar later en helemaal buiten zinnen door een of andere donkere heiden, van hetzelfde soort dat de schoften had gebaard die hem zijn boerderij hadden ontnomen. De boerderij zou Macons erfgoed zijn geweest. Die had hij aan zijn buurmeisje kunnen geven, opdat ze hem als gunst ook in het echt met zijn onderlijf tegen het hare zou laten schuren. Hij zou haar een kind hebben geschonken – een hele hoop kinderen. Ze zouden samen oud zijn geworden als die dag er niet was geweest waarop hij alles was kwijtgeraakt.

En toch verlangde hij naar de indiaanse zoals hij nog nooit naar een vrouw had verlangd. Hij droomde van haar, in zijn slaap proefde hij haar op zijn lippen. Al voor hij drie dagen geleden op hun kamp was gestuit, had Macon iets aan zijn borst voelen rukken, alsof er een touw om zijn hart was gespannen en iets – iemand – hem naar zich toe trok. De nacht voor hij hun kleine nederzetting had gevonden, was hij wakker geworden van een intens, brandend gevoel in zijn borst, en hij had zijn kamp in de steek gelaten en was de heuvel op gestrompeld naar de vrouw, zonder ook maar te begrijpen waarom.

Daar stond ze, op de top van de heuvel, met de wind in haar woeste zwarte haren. Vuur van een kleur die hij nog nooit had gezien, vlamde pal voor haar op, en de rook kringelde loom omhoog, de nachthemel in. Macon zoog de lucht naar binnen, en met elke diepe ademtocht nam het brandende gevoel in zijn borst af. Rust daalde op hem neer; hij ging als een heiden op zijn hurken voor het vuur zitten en keek hoe ze danste.

'O-tsjo-wani-ki,' zong ze. Ze had een hese stem, niet echt melodieus. Haar huid was donker als de nacht, glad en bijna haarloos.

Een gouden ketting hing aan weerszijden uit haar gebalde vuist. Ze hield hem boven het vuur, op slechts enkele centimeters van de vlam, zo dichtbij dat het zweet Macon uitbrak als hij alleen maar naar haar keek. Langzaam liet ze de ketting uit haar hand glijden, en bij elke amulet die aan de armband hing, mompelde ze een onbegrijpelijke naam.

'A-sjowni,' zei ze. Beer.

'Koskoe,' klonk het. Hond.

Zes amuletten gleden uit haar hand en kronkelden steeds dichter naar het vuur toe. Terwijl rook zijn longen binnendrong keek Macon toe, met open mond, en zag een gouden beer boven de vlammen bengelen. Het beest was verbluffend gedetailleerd, en in de vlammen die langs zijn flanken lekten leek het bijna tot leven te komen. Hij kon elk deel van het dier zien: de zachte vacht, de naalddunne nagels, de zoolkussentjes van zijn geopende klauw terwijl hij zich op zijn achterpoten verhief, klaar om toe te slaan. Macon boog zich nog dichter naar het vreemde vuur toe en keek gebiologeerd naar het kleine rode edelsteentje midden op de borst van de beer.

Misschien waren er uren verstreken, maar Macon merkte het niet. De vrouw danste in een cirkel om het vuur, in al haar naakte glorie. Ze wervelde en sprong tot de maan zich achter de bergtoppen verschool, en toen stopte ze, even plotseling als alles was begonnen, en weer liet ze de beer boven het brullende vuur bengelen. Haar hoofd ging met een schok omhoog en ze staarde hem aan – dwars door hem heen. Macon voelde hoe elke spier in zijn lichaam zich spande en zijn botten deden pijn van de druk. Hij hijgde en zijn hoofd begon te tollen.

Ze neuriede iets, zo zacht dat hij het niet kon verstaan, ook al deed hij zijn uiterste best. In het diepe zwart van haar ogen vlamde iets op en ze strekte haar arm uit, met de armband in de palm van haar hand. Macon zag de amuletten, maar zijn geest kon ze geen van alle benoemen, behalve de beer, die aan het uiteinde hing. Deze laatste amulet zwaaide ze boven het vuur heen en weer, zo dichtbij dat ze zich wel moest branden, ook al vertrok ze geen spier.

Langzaam begon het goud te smelten en druppelde de vlammen in, tot er alleen nog een traanvormig klompje over was, met in het midden het rode edelsteentje. Terwijl Macon toekeek, pakte de vrouw de armband, hield hem boven haar geopende mond en beet het laatste restje van de beer eraf. Het enige waaraan Macon nog kon denken was hoe heerlijk het zou zijn om door haar verzwolgen te worden.

Als handelaar had Macon door het hele gebergte gezworven. Hij kende de toppen en de dalen zoals een man zijn eigen hart kent: de Coosa en de Tallapoosa, Licklog, Slaughter Gap. Macon had met zijn voeten paden in de grond uitgesleten; hij had vallen gezet en dieren gedood, ze gevild en vervolgens verhandeld voor luxeartikelen die hij zich anders niet zou kunnen veroorloven: koffie, tabak, schoenen, vrouwen. Voor twee magere konijnen kreeg hij een stuk zeep. Een in een val gelopen hinde met zachte ogen leverde hem een oud, maar solide geweer met een goed vizier op. Met indiaanse sieraden verwierf hij zich de gunsten van een vrouw, met een konijnenpoot of een ander prul kocht hij van de hoerenmadam een mengseltje van reuzel en lavendel tegen een schrale pik na het neuken. Macon kende alle stammen in de bergen, handelde met hen omdat hij wel moest, waarbij het voordeel meestal aan zijn kant was. Hij wist dat de Lower Creek wapens wilden, en de Cherokee zijde, en dat het allemaal niks uitmaakte omdat Jefferson toch al bezig was die smeerlappen uit het gebied te verdrijven.

Maar die avond, toen hij op de vrouw was gestuit, ontdekte Macon tot zijn ontzetting een volk waarvan hij nog nooit had gehoord. De Elawa leken niet op de andere indianen die Macon kende. Ze hadden geen tipi's of aardhopen, en nergens slingerden dierenhuiden. Hij was vaak getuige geweest van stammenrituelen en oorlogsvoorbereidingen, maar de solodans van de vrouw was met niets te vergelijken. Ze spraken geen Engels en leken er ook niet in geïnteresseerd. Eigenlijk wist hij niet eens hoe ze zichzelf noemden. 'Elawa' was de naam die Macon aan ze had gegeven, ontleend aan het Cherokeewoord voor 'aarde'.

Ze leefden in ondiepe grotten die ze in de onderkant van de berg hadden uitgehakt, en verzamelden stofgoud, waarvan ze sieraden smeedden zoals Macon nog nooit had gezien. De kwaliteit van hun werk was opmerkelijk, zeker als je het schamele gereedschap dat ze ervoor gebruikten in aanmerking nam: stompe werktuigen die geschikter leken voor het malen van graan dan voor het aanbrengen van verfijnde vormen in het door hitte zacht geworden goud. De mannen zaten de hele dag te zwoegen, hun rug tot een boog vergroeid, tussen hun voeten een rond houten platform dat ze met hun tenen heen en weer draaiden om kunst te scheppen die, dat wist Macon zeker, verder naar het noorden heel wat meer zou opbrengen.

Dat was niet het enige opmerkelijke aan ze. Nergens in het kamp was een gebruiksdier te bekennen – geen paarden of koeien of zelfs maar ezels. Honden hadden het hele terrein tot hun beschikking, en de mensen maakten ervoor plaats alsof ze met eerbied bejegend moesten worden. De stamleden krompen ineen bij het zien van de huiden die Macon wilde ruilen tegen hun gouden amuletten. Zelfs toen hij zijn betere handelswaar tevoorschijn haalde – hert, beer, chinchilla – deinsden ze terug alsof de dood die hij in zijn handen hield besmettelijk was.

Nadat de vrouw haar dans had beëindigd, kwam een imposante jonge man, die volgens Macon het opperhoofd moest zijn, de heuvel op lopen. Zijn hoofdtooi was doorweven met stevige zwarte veren en zijn lichaam beschilderd met dierenmotieven: konijn, slang, poema. Vlak achter hem liep een knoestige oude man die op een nog knoestiger stok steunde. Zijn ogen waren van een troebel soort wit, net zure melk, en hij had pikzwarte tanden. Zijn lichaam was besmeurd met rode klei, waartegen zijn blote, met zwarte modder uit het bos bestreken geslachtsdelen zich aftekenden.

Macon zag de katoenen buidel die de man aan zijn gordel droeg en hij vermoedde dat dit de medicijnman was, de genezer van de stam. Hij probeerde te glimlachen, want hij voelde dat deze man het meeste aanzien genoot in de stam en dat hij hem te vriend moest zien te houden.

'*Lapatsja ko wani,*' grauwde de oude man. Hij stak zijn hand in zijn buidel en haalde er een hoopje zwarte aarde uit, dat hij vol walging op de grond smeet. Macon had geen idee wat dat betekende, tot de man er drie keer achtereen snel op spuugde.

Het was een vloek.

'Ha.' Macon wilde lachen, maar het geluid dat uit zijn mond kwam, leek eerder een woord dan een lach. De indianen hadden hem zijn hele leven al vervloekt. Wat deze oude, met modder besmeurde gek Macon ook wilde aandoen, hij had het allemaal al eens meegemaakt.

Het opperhoofd klapte één keer in zijn handen, waarop de vrouw van het vuur weer verscheen. Er had zich een menigte gevormd, maar de mensen maakten ruimte voor haar en hij begreep dat zij een speciale betekenis voor hen had, dat ze haar koesterden. Ze droeg een eenvoudige strook stof om haar middel. Haar borsten waren bloot en hoog, met donkere tepels die zo strak stonden dat hij bijna het puntje van zijn tong afbeet. De dunne armband die ze boven het vuur had gehouden, zat nu om haar pols, en als ze bewoog, rinkelden de overgebleven amuletten.

Ze nam Macon bij de hand en leidde hem naar een van de grotten, waar ze hem een voorraadkelder liet zien. Er stonden verscheidene manden met bessen en knollen uit het bos, die gedroogd waren voor de lange winter. Achter in de grot was een soort altaar waarin zich een metalen kist bevond. Op het openstaande deksel waren dieren gegraveerd waarop jacht werd gemaakt. Een beer, die sprekend leek op het dier van het vuur, richtte zich op om toe te slaan; een slang kronkelde langs de rand, zijn giftanden ontbloot; een vogel dook vanuit een boom naar beneden. In de kist lag een hoop verse aarde. Macon staarde ernaar, en opeens werd alles wazig. Bewoog de aarde? Voelde hij een lichte trilling onder zijn voeten?

Zonder erbij na te denken zette Macon een stap naar voren en stak zijn hand in de koele aarde. Hij werd van alle kanten omringd door het vochtige duister. Zijn ogen draaiden naar achteren en hij kreeg visioenen: een man die een muziekinstrument bespeelde dat hij nog nooit had gezien, een vrouw die op de punten van haar tenen danste.

Als bij toverslag verdwenen de visioenen toen de vrouw zijn hand open sloeg en de aarde zich verspreidde. Zachtjes mompelend drukte ze de aarde met haar voeten in de grond.

Macon probeerde zich te verontschuldigen, hoewel hij niet wist waarvoor. 'Ik wilde niet...'

Ze keek hem aan met haar felle zwarte ogen en weer was hij als verlamd, als aan de grond genageld. Ze liep op hem af. Ze duwde haar lichaam tegen het zijne en nu was haar mond slechts enkele centimeters van hem verwijderd. Hij ademde haar in, zoog haar adem naar binnen. Het duizelde hem en bedwelmd zocht hij steun tegen de muur achter zich.

Ze volgde hem en kronkelde nog heviger tegen hem aan tot zijn pik recht naar voren stak en zijn handen over haar hele lichaam zwierven. Begeerte golfde door hem heen toen ze zijn geslacht in de palm van haar hand nam. Met haar andere hand streek ze over zijn borst; ze wond zijn haar om haar vingers en streelde zijn tepels tot ze het kloppen van zijn hart kon voelen.

Ze stopte, haar hand op zijn hart, met vragende ogen.

'Ja,' fluisterde hij, zo intens naar haar verlangend dat

zijn tanden er pijn van deden. 'Ja,' zei hij zachtjes. Ze mocht alles hebben wat ze wilde, zolang ze hem maar bleef aanraken.

Ten slotte vonden hun monden elkaar en ze begon op zijn tong te zuigen, ze zoog zijn adem op tot hij het gevoel kreeg dat zijn longen leeg waren. Hij zag sterren rondtollen en weer flitsten er vreemde beelden door zijn hoofd: een sleutel die geen enkele deur ontsloot, een medaillon dat het geheim van de dood bevatte, een knielende engel die voor geen zonde kon boeten...

En toen, even plotseling, was het allemaal verdwenen. Macon bleek in het bos op de grond te liggen, en het enige wat hij bezat, waren de kleren die hij droeg. Geen geweer om mee te jagen, geen strikken om te zetten, geen paard om hem naar de vrouw terug te brengen. Hoewel alles er vertrouwd uitzag, had hij geen idee waar hij was. Drie dagen lang trok hij voort, met alleen de ondergaande zon om te bepalen hoe ver hij gevorderd was. Soms had hij het gevoel dat hij in cirkels liep. Zelfs de rivieren leken de verkeerde kant op te stromen. 's Avonds viel hij op de zuidelijke oever in slaap om de volgende ochtend op de noordelijke oever, zo leek het tenminste, te ontwaken. Op die manier verstreken er drie dagen. Drie dagen vol honger, vol verlangen, vol ellende.

Toch fluisterde zijn hart hem in dat hij in de goede richting liep, in de richting die hem zou terugvoeren naar de grotten, naar de vrouw. Terwijl de zon op zijn nek brandde en zijn holle buik rommelde, liet hij zich de heuvels op drijven, ervan overtuigd dat hij met elke stap dichter bij haar kwam. Zelfs toen de berg hoog en breed voor hem verrees, met een diepe kloof in het midden waar vanuit een warme plek maagdelijk water sijpelde, dacht hij alleen maar aan haar. Hij likte zijn lippen en telkens als hij de ruwe, gebarsten huid onder zijn tong voelde, wenste hij dat zij het was. Soms werd Macon zo gegrepen door zijn verlangen naar haar dat hij zich op de grond liet vallen, met zijn broek om zijn laarzen, en zich aftrok tot hij het niet meer hield. Denkend aan haar bewerkte hij zichzelf tot bloedens toe en zelfs dan, zelfs als zijn zaad in slierten de aarde doordrenkte, was het niet genoeg.

Macon bedacht allerlei plannen. Hij zou een huis bouwen waar hij haar naartoe kon brengen. Ze zouden in een veren bed slapen en een echte keuken hebben. Er zou een stal zijn met paarden en koeien. Ze zou water uit de rivier aandragen om zijn kleren te wassen en zijn eten te koken. Hij zou weer boer worden. Ze zouden hun eigen voedsel verbouwen, voedsel zoals zij hem had laten zien. Elke nacht zou hij haar neuken, zo diep als hij maar kon, en dan zou zíj het uitgillen van het genot dat hij háár bezorgde. Op haar beurt zou zij hem kinderen schenken – zonen; zonen aan wie hij zijn boerderij kon overdragen, zonen die het land konden beschermen.

Met elke kilometer die Macon in het bos aflegde, kwam de vrouw meer tot leven. Hun bestaan kreeg steeds meer vorm, even stellig als de bomen in het bos. Alles aan de vrouw stond in zijn geheugen gebrand: hoe ze eruitzag, hoe ze rook, hoe ze smaakte. Hij herinnerde zich de grot, de bessen uit het bos, hoe ze haar lichaam tegen het zijne had gedrukt en hem haar adem had laten opzuigen. Hij begreep alles wat ze hem had verteld zonder dat ze een woord hadden gewisseld. De Elawa vereerden de vogels in de lucht en de dieren in het woud. De gouden amuletten die ze maakten, waren bedoeld voor hun eredienst, niet voor de handel. Zo vereerden ze de dieren van het woud en in ruil daarvoor gaf het woud hun voedsel, beschutting en warmte. Zonder een woord te zeggen, had ze een heel leven aan hem geopenbaard. Ze hoefde hem alleen maar aan te kijken met die doordringende zwarte blik van haar, en dan wás ze hem.

Achter hem brak een tak. Macon draaide zich razendsnel om, maar er was niets. Hij keek naar de lucht en zag een kraai rondcirkelen – of was het een gier? De vleugelwijdte van het beest was enorm, breed genoeg om de zon te verduisteren. Macon kneep zijn ogen tot spleetjes en hield zijn hand ervoor, maar de vogel was al verdwenen.

Weer brak er een tak en zijn hart sloeg over, ook al zag hij niets. Hij begon te rennen en struikelde over een wortel die uit de bosgrond stak. Pijn verspreidde zich vanuit zijn verstuikte enkel. Hij lag met zijn gezicht op de grond en rook de muskusgeur van het duister, van de dood. Daaronder rook hij bloed. Hij keek naar zijn handen en tot zijn ontsteltenis zag hij dat ze besmeurd waren met bloed. Van de eekhoorn? Van de aarde?

De grond trilde tegen zijn buik. Achter hem hoorde hij zware poten die de aarde deden schudden.

Macon krabbelde overeind en strompelde dieper het bos in, stofwolken achter zich opwerpend. Het duizelde hem van de mogelijkheden waarbij de pijn in zijn enkel in het niet viel. Hij werd door iets opgejaagd; hij hoorde de zware gang van een groot dier dat hem door het hele bos volgde. Was het een beer? Een prairiewolf? Een poema?

Zijn mond viel open en hij zoog lucht op in een poging adem te halen, maar paniek trok zijn borst samen. Macon wierp een snelle blik over zijn schouder en weer struikelde hij, maar deze keer ving hij zichzelf nog net op tijd op. Achter zich hoorde hij iets zuchten, en onder het rennen dacht hij telkens terug aan dat geluid, dat gezucht, van seconde tot seconde, en hij hoopte dat het op uitputting duidde, op wanhoop, misschien wel medelijden. Maar niets van dat alles; het wezen dat hem achtervolgde was slechts geïrriteerd. Ongeduldig. Koppig. Hongerig.

Weer hoorde hij in de verte een vogel krassen, of was het de oude medicijnman met zijn zwarte tanden? In een flits zag Macon de genezer weer voor zich, en de drie klodders spuug op het hoopje aarde.

'*Lapatsja ko wani.*'

Ik vervloek je zaad.

Macon was nu heel dicht bij haar. Hij voelde het, hij voelde hoe ze verstrengeld lagen in hun veren bed. Ze zou hem omvatten, hem leegmelken, zijn kern opzuigen. Het genot dat ze elkaar elke nacht schonken, zou als een balsem zijn voor de pijn en eenzaamheid van zijn bestaan in de bergen. De indiaanse zou aan Macon teruggeven wat de andere indianen hem hadden ontnomen. Ze zouden een gezin stichten. Macon zou voor ze op jacht gaan. Hun zonen zouden het vlees eten en sterk worden. Ze zouden een gezin zijn. Ze zouden tegen elke aanval bestand zijn.

Riep ze hem nu? Sprak de vrouw zijn naam?

Een windvlaagje blies de haren van zijn nek overeind en met een ruk draaide hij zich om. Het leek wel of het dier zich vlak achter hem bevond. Koude rillingen liepen over Macons lichaam toen hij een cirkel beschreef en alle kanten op keek in een poging zijn achtervolger te ontdekken. Zijn knieën begaven het en hij liet zich tegen een boom vallen. De bast voelde ruw onder zijn bloederige handen. Hij keek naar zijn vingers, zijn handpalmen, zijn polsen... alles zat onder het bloed. Van wie was dat bloed?

'Sodemieter op!' Macon zoog op zijn vingers terwijl hij het hele woud vervloekte. 'Sodemieter op allemaal!'

Hij dwong zichzelf weer in beweging te komen, ondanks het kloppen van zijn gekneusde enkel, dat zich in protest bij het bonken van zijn hart voegde. Nog een stap en nog een... Het was alsof zijn enkel in brand stond. De gloed verteerde hem vanbinnen, koorts nam hem in zijn greep, als een stalen klem om zijn been. Macon zag het huis voor zich waarin ze zouden wonen. Zag hij de vrouw in de verte, kwam ze naar hem toe? Keek ze naar de grond terwijl ze liep, haar handen al vol kruiden en bessen?

Struikelend door het bos legde Macon zijn hand op zijn kruis. Zijn pik brandde toen hij aan de knoestige oude medicijnman dacht en in gedachten de boosaardige vloek weer hoorde.

'*Lapatsja ko wani.*'

Die smerige indianen met hun smerige amuletten! Dat die vent met het grootste gemak van de wereld een man als Macon kon vervloeken, en dat terwijl het leven zelf al een vloek was. Hoe raakte je anders in dit godvergeten gebergte verzeild en moest je een bestaan zien op te bouwen in dit meedogenloze land?

Daar! Het huis! Het was hún huis. Het erf was aangeveegd en kippen scharrelden rond op de gestampte aarde. Een koeienbel klingelde en een hond blafte, alsof hij zijn baasje smeekte thuis te komen. Rookslierten stegen op uit het gat in het strodak. Macon rende ernaartoe, maar zijn achtervolger hield gelijke tred met hem, zijn stappen werden steeds sneller, steeds ongeduldiger.

Weer dat gehijg; het was alsof iemand 'Macon' zei, en hij keek om. Van het ene moment op het andere bleef hij staan, happend naar adem alsof een onzichtbare macht hem geraakt had. Opeens zag hij de dingen niet van binnenuit, maar vanbuiten en van bovenaf. Macon stond oog in oog met de vrouw. Ze was naakt, en de dikke haardos op haar schaamstreek was vochtig, zo verlangde ze naar hem. Hij zette een stap in haar richting, maar ze duwde hem op de grond en ging boven hem staan. Hij kon slechts omhoogkijken, zijn lichaam verstijfd, aan de grond genageld. De vrouw ging schrijlings op hem zitten en scheurde zijn kleren weg.

'Ja,' siste hij toen ze hem in zich nam. Hij kreunde en zag zichzelf telkens weer in haar verdwijnen. Ook al was ze nog zo nat, toch was ze bijna ondraaglijk nauw. Hij hoorde geknisper en geritsel en zag de bladeren om hen heen in een spiraal rondwervelen. De lucht werd ijl en hij kon slechts met moeite ademhalen toen zijn lichaam vlak voor de ontlading begon te verkrampen. Hij kwam zo heftig klaar dat zijn tanden rammelden en het speeksel uit zijn mond vloog. Hij strekte zijn hand uit om haar aan te raken, maar haar huid was gloeiend heet en het bloed aan zijn handen schroeide zijn vlees. Macon schreeuwde het uit van de pijn en tegelijkertijd schokte zijn lichaam van genot. Het bos werd donker en ten slotte zwart toen zijn ogen naar achteren draaiden.

Hij was uitgeput en kon alleen nog maar liggen, zijn armen zijwaarts uitgestrekt, zijn vingertoppen bedekt met brandende zweren. Macon gaf er niet om. Een verrassend heldere kalmte maakte zich van hem meester, en hij voelde zich meer dan ooit deel van het woud; zijn lichaam was één met de grond. Alles was plotseling van een grote helderheid: het murmelen van de kreek op de achtergrond, de rustige geluiden van het bos, de vogels, de insecten en de andere dieren. Hij dacht aan zijn moeder, zoals ze haar haar altijd waste in de oude ijzeren tobbe en dan bij de haard ging zitten om het tijdens het drogen uit te borstelen. Hij zag zijn vader weer op zijn stoel zitten en een stuk speelgoed snijden voor het broertje of zusje dat Macon nooit zou krijgen.

Zonder waarschuwing vooraf veranderde de lucht weer, werd dikker, bijna vochtig. Macon voelde hoe haar huid langs hem streek, hoe de zijden haartjes op haar benen zich vermengden met de zijne. Langzaam gleed ze naar beneden en nam hem in haar mond. Hij was zo moe dat hij alleen maar kon liggen en door halfgesloten ogen naar de hemel kon staren. Hij was helemaal leeg. Hij kon haar niets meer geven.

Er ging een huivering door hem heen toen ze met haar tong zijn lichaam bewerkte, zijn buik, borst en hals likte en weer naar beneden ging. Als een hond met een bot liet ze met haar zijdezachte, warme tong geen vierkante centimeter van zijn lichaam ongemoeid, en hij lag daar maar, krachteloos van genot. Zachtjes slaakte hij een zucht, zelfs toen haar lichaam steeds zwaarder werd en hem steeds dieper de grond in duwde. Macon voelde de warmte die hen verbond, hun haren die zich verstrengelden, het zachte gekriebel van haar huid op zijn buik terwijl ze nog krachtiger op hem leunde. Hij voelde dat hij weer opgewonden raakte, hij voelde zijn bloed kloppen van begeerte. Hij welfde zijn rug en stootte in haar, maar toen hij zijn ogen opende, hapte hij naar adem, want de vrouw was verdwenen en een machtige, zwarte beer zat schrijlings op hem.

Hij schreeuwde het uit van angst, zijn keel spande zich alsof hij glas had ingeslikt.

Een sterke klauw gaf een houw over Macons borst en reet het vlees open. Zijn hersens barstten van de pijn en zijn longen snakten naar lucht. Macon deed zijn mond open om het weer uit te schreeuwen, maar de beer legde hem met een blik het zwijgen op en liet één klauw licht op zijn hartstreek rusten. Deze keer las hij geen vraag in haar ogen en toen wist Macon het – ze was gekomen om haar deel op te eisen na de gruwelijke overeenkomst die ze in de grot hadden gesloten.

'Ja,' had hij gezegd. 'Ja.' Ze mocht alles hebben wat ze wilde zolang ze hem maar aanraakte.

Zonder aarzelen stak de beer haar poot in zijn borstkas, als een kind dat iets uit een snoepzakje pakt. Macons oogleden trilden; hij zag zijn eigen hart glanzen in de zon terwijl de beer het ten hemel hief. Lichtstralen speelden als vlammen om het natte weefsel. Bloed droop over de voorpoten en de borst van de beer, spatte op Macons dijen en vormde een plas op de plek waar deze samenkwamen. Het beest brulde en Macon zag de schittering van een armband rond de verbazingwekkend slanke pols van de beer, net toen ze zijn nog kloppende hart in haar open bek stopte en in één keer doorslikte.

Uit: *Vervloekt geluk*, Cargo, 2004.

De zegen van het gebroken zijn

Mary Lou Dixon zat in de voorste kerkbank en keek op naar het kruis, dat boven de preekstoel hing en langzaam werd neergehaald. Ze friemelde aan de armband om haar pols en zag hoe het kruis steeds grotere proporties aannam naarmate het als een geknakte vogel verder naar beneden zakte, terwijl het toch zo klein had geleken toen het nog vlak onder het plafond had gehangen.

'Even zo houden,' zei de ploegbaas, en de drie mannen die de takels bedienden stopten. Het kruis schommelde in de lucht heen en weer, en de gebroken rechterarm, die nog maar aan een paar houtsplinters bengelde, tikte onheilspellend tegen de zijkant. Het geluid deed Mary Lou aan een klok denken, die de tijd wegtikte.

'Rustig aan,' beval de ploegbaas, zijn woorden met zijn handen onderstrepend. Hij was de enige van de ploeg van vier die Engels sprak, en het duurde even voor de Mexicanen zijn aanwijzingen snapten. Maar uiteindelijk schenen ze hem te begrijpen, want het kruis zette zijn tocht naar de vloer weer voort en werd ten slotte heel voorzichtig op het tapijt gelegd.

De Mexicanen knielden neer en Mary Lou vroeg zich af of dat eigenlijk wel gepast was in de Christ Holiness Baptist Church, een baptistenkerk in Elawa, Georgia. Het kruis was een eenvoudig houten geval, zonder Jezus, maar prachtig gepolitoerd zodat het glansde in de och-

tendzon. Je kon het nauwelijks vergelijken met het opge-
smukte icoon dat door de meeste katholieken werd aan-
beden, of hoe je het ook noemde wat katholieken deden
– eigenlijk had Mary Lou geen idee wat katholieken deden. Ze hoorde al twintig jaar bij de Christ Holiness, en
daarvoor bij de Lord and Saviour, wat twee trapjes lager
was dan de Primitive Baptist, en één trapje hoger dan die
lui die slangen opnamen.

Hoewel de gemeente behoorlijk wat aannemers onder
haar leden telde, had niemand van hen aangeboden het
kapotte kruis te repareren. Bob Harper, die al tien jaar
diaken was, had een eigen bouwbedrijf, maar niettemin
was hij meer dan vijfhonderd dollar duurder dan deze
zwarte man en zijn ploeg. Het was een karweitje van
niks, zonde van zijn tijd, had hij gezegd. Mary Lou had
hierop geantwoord dat ze blij was dat Jezus er niet zo
over had gedacht toen hij voor Bobs zonden stierf, maar
de diaken liet zich door haar opmerking niet op andere
gedachten brengen.

Er zat voor Mary Lou dus niets anders op dan deze
zwarte ploegbaas en zijn katholieke Mexicanen zover te
krijgen dat ze het kruis nog voor paaszondag – en tegen
aanzienlijke kosten – repareerden, zonder enige hulp
van de competentere leden van de gemeente. Dat soort
zaken was de laatste tijd typerend voor de kerk. Het was
allang niet meer zo dat men met liefde en geheel vrijwil-
lig de telkens terugkerende onderhoudsklusjes verrichtte of brochures verzond met het verzoek om geld te
schenken voor de zending. Niemand ging meer bij de
zieken in het ziekenhuis op bezoek. Niemand wilde meer
op bijbelretraite als er geen zwembad en vierentwintig
uur per dag roomservice bij was. De laatste twee anti-

abortusdemonstraties in Atlanta waren afgelast omdat er regen was voorspeld, en denk maar niet dat iemand buiten in de regen wilde staan.

'Mevrouw Dixon?' vroeg de zwarte man. Ze herinnerde zich dat hij Jasper Goode heette. Hij was een wat oudere man met een zeer donkere huid en een kaal hoofd, dat ondanks de airconditioning in de kerk overmatig zweette. Mary Lou vertrouwde dat overdreven gezweet niet, het gaf hem iets stiekems. De hele ochtend had hij alleen maar bevelen staan uitdelen aan de werkploeg, en toch zweette hij alsof hij net de marathon had gelopen.

'Mevrouw?' drong hij aan.

'Ja?' antwoordde Mary Lou, en ze ging verzitten op de harde bank. Haar buik speelde op en kalmerend legde ze haar hand erop.

Jasper liep de trap langs het podium af en kwam naar haar toe. Op nog geen meter afstand bleef hij staan en keek op haar neer.

Mary Lou rechtte haar schouders en dwong zichzelf stil te blijven zitten. Hij was een grote man en daarvan was hij zich ook bewust. Onwillekeurig sloeg ze haar blik neer, maar toen vatte ze weer moed en keek hem aan.

'Neemt u me niet kwalijk,' zei hij, en glimlachend liet hij zich pal voor haar op één knie zakken.

'Wat is er?' snauwde ze, hoewel ze besefte dat dat nergens op sloeg. Eigenlijk vond ze het helemaal niet prettig dat hij zo dicht bij haar was. Alleen al zijn aanblik was meer dan ze kon verdragen.

De man was ooit ernstig verbrand geweest en van dichtbij was zijn gezicht één grote, synthetisch uitziende puinhoop; op sommige plekken zat zijn huid onnatuurlijk strak en het pigment op zijn wangen was een lappendeken van uiteenlopende huidtinten, alsof iemand zijn gezicht weer aan elkaar had genaaid met allemaal verschillende lappen vlees. Wenkbrauwen of wimpers had hij niet, en zijn ogen keken permanent geschrokken de wereld in. Zijn handen waren ook verminkt, en de huid die zich rond zijn polsen had opgehoopt, deed denken aan een afgezakte sok. Zelfs met deze hitte droeg hij nog lange mouwen, die hij bij zijn polsen strak had vastgeknoopt om – zo vermoedde Mary Lou – iets nog gruwelijkers te verhullen.

Hij zei iets tegen de werklui en ze probeerde niet te kijken terwijl hij sprak. Het alleropmerkelijkste aan zijn verschijning waren zijn lippen – ze hadden een onnatuurlijke kleur, als het felle roze van een muizenneus, en zagen er kwetsbaar uit. Je zou ze eerder bij een meisje verwachten dan bij een oude zwarte man met een zo goed als haarloos gezicht. Er lag een permanente glans over die lippen, alsof ze nog maar kortgeleden speciaal voor hem waren gemaakt. Mary Lou had op tv een kinderoor gezien dat op de rug van een levende muis groeide, zomaar uit het niets. Ze vroeg zich af of de lippen van de man onder vergelijkbare omstandigheden waren ontstaan.

De brandwonden waren iets waar je niet omheen kon. Bij hun eerste ontmoeting had de zwarte man ongevraagd aan Mary Lou uitgelegd dat hij een auto-ongeluk had gehad. De auto was in brand gevlogen en zijn vrouw en kind waren in de vlammen omgekomen. Zelf had hij het er amper levend afgebracht, en de operaties die hij daarna had ondergaan, hadden wel zijn lichaam genezen, maar niet zijn hart; hij zei dat hij nog steeds geplaagd werd door de herinneringen aan die avond, en dat hij zich zijn eigen aandeel in de dood van zijn vrouw en kind nooit zou kunnen vergeven, laat staan dat hij het ooit zou vergeten. Dronken, vermoedde Mary Lou, maar ze zei niets.

'We laten het hier liggen, en na de middag nemen we het mee naar het parkeerterrein,' liet Jasper Goode haar weten. Toen Mary Lou met enige nadruk op haar horloge keek, voegde hij eraan toe: 'Op een volle maag werken ze beter.'

'Ongetwijfeld,' antwoordde Mary Lou, en ze hoopte dat hij het ongenoegen in haar toon oppikte.

'Dat ding ziet er minder slecht uit dan ik had gedacht,' zei de zwarte man, alsof het kruis een auto was en niet het symbool van Jezus' offer.

'Nou, mooi dan,' was haar reactie, en ze vroeg zich af of het nu ook minder zou gaan kosten. Ze betwijfelde het.

Alsof hij haar gedachten kon lezen, zei hij snel: 'Maar het wordt toch nog een hele klus.'

'U hebt beloofd dat het zondag klaar zou zijn,' bracht Mary Lou hem in herinnering en ze probeerde haar stem niet te laten beven. Ze vond Jasper Goode niet het type dat 's zondags naar de kerk ging, en als het aan Mary Lou had gelegen, had ze Bob Harper ingehuurd. Vijfhonderd dollar was eigenlijk niet veel als je er iemand voor kreeg die alle belang had bij zijn eigen verlossing.

Jasper staarde haar aan. 'Nog bedankt, mevrouw, dat u mij dit karwei hebt gegeven. Ik krijg niet zo gemakkelijk werk tegenwoordig, en ik ben er erg blij mee.'

Ze knikte, lichtelijk uit het veld geslagen door zijn bekentenis.

Jasper bleef haar aankijken. 'U voelt zich toch wel goed, mevrouw?'

47

'Ja hoor, vooral als het kruis straks gemaakt is,' deelde ze hem mee.

Hij trok een grimas die voor een glimlach moest door-gaan. 'Dat komt voor elkaar,' verzekerde Jasper haar. Hij haalde een witte zakdoek tevoorschijn en veegde ermee over zijn zwetende kale kop. Hij zei iets in het Spaans te-gen de werklui, die zich rap uit de voeten maakten, met een grotere voortvarendheid dan ze tot nu toe bij hun werk aan de dag hadden gelegd.

Weer verschoof Mary Lou op de bank in een poging een gemakkelijker houding aan te nemen. Haar kantoor was boven de oude kapel, inmiddels een sportschool, en de airconditioning daar liet te wensen over. Ze kon zich niet nog een vrije dag veroorloven, anders was ze van-daag gewoon thuisgebleven.

Ze slaakte een diepe zucht en staarde naar de preek-stoel. De lege plek waar het kruis had gehangen, gaf de kerk iets hols, alsof het hart uit de romp was gehaald. Het was een raadsel hoe het kruis beschadigd was geraakt. Op een zondag had een gemeentelid opgemerkt dat het kruis er 'raar' bij hing, en Mary Lou en dominee Stephen Riddle waren na de dienst weer naar binnen gegaan en hadden ernaar gekeken tot hun nek zowat knakte. Het kruis helde duidelijk naar één kant over, maar van bene-den af hadden ze niet kunnen zien wat de oorzaak was.

Een week later zat Mary Lou in het kerkkantoor brie-ven in enveloppen te stoppen toen Randall, de koster, binnen kwam stormen en iets mompelde over een teken van God. Het was niet voor het eerst dat Randall, wiens eigen moeder er ronduit voor uitkwam dat hij niet hele-maal goed snik was, beweerde dat hij door visioenen werd bezocht, maar Mary Lou was toch met hem mee naar de kerk gegaan, al was het alleen maar om even haar benen te strekken. Daar aangekomen zagen ze dat het kruis bijna scheef hing, en dat de dikke kabels waarmee het aan het plafond was bevestigd, trilden alsof ze onder grote druk stonden. Terwijl Mary Lou en Randall ernaar keken, klonk er een enorm gekraak dat de hele ruimte vulde, gevolgd door een zacht en akelig gekreun, alsof Jezus zelf aan het kruis hing en zijn arm van zijn lichaam werd gerukt. Ze zag het nog steeds in slowmotion voor zich: de arm die van het kruis brak, de kabels die kronkelden en draaiden toen het gewicht zich verplaatste. Soms hoorde ze 's nachts nog steeds het afschuwelijke, zachte gekreun van brekend hout en dan begon ze hevig te zweten, in de wetenschap dat het brekende kruis iets met haar had te maken.

Tijdens haar jeugd was haar oom Buell een zogenaamde lekenprediker geweest, wat betekende dat hij geen speciale wijding van Christus had ontvangen, maar toch bijbelonderricht gaf. Toen Mary Lou opgroeide, werd zijn aanhang steeds kleiner, maar er bleef altijd een harde kern van mensen over die naar zijn schriftlezingen kwamen luisteren. Ze aanbaden Buell alsof hij de Heer zelf was.

Elke zondag en woensdag zaten er zo'n tien tot twintig gelovigen in het souterrain van Buells in ranchstijl opgetrokken huis, en alle waren gekomen om Buell over het Woord te horen preken. Zijn favoriete thema was de verraderlijkheid van de zonde, zoals hij het noemde. De zonde was een zware last, zei Buell, die je uiteindelijk op de een of andere manier zou breken. Een goede man kon zijn vrouw bijvoorbeeld slaan. Of een goede vrouw loog tegen haar man. Het was niet zo moeilijk je door de zonde in tweeën te laten breken. Door een dergelijke breuk drong nog meer zonde, nog meer kwaad moeiteloos je hart binnen. Het was aan de zondaar zelf om Jezus te zoeken en om verlossing te vragen, om Zijn hulp in te roepen en zo weer heel te worden. God gaf een zondaar nooit meer dan hij kon dragen, benadrukte Buell. Dat was Zijn geschenk aan de mens: Hij zou je nooit zo breken dat je niet meer gemaakt kon worden. Bij alles wat er gebeurde in het leven van een mens, zelfs aan het eind, stelde God hem in de gelegenheid verlost te worden.

'Alleen Jezus kan je weer heel maken als de zonde je heeft gebroken,' had Buell gepredikt. 'En dat deel van je dat gebroken is geweest, komt er alleen maar sterker uit tevoorschijn.' Hij noemde dat proces de zegen van het gebroken zijn. Zelfs toen hij in het ziekenhuis doodging aan botkanker had hij behandeling geweigerd, met als argument dat God zijn botten alleen maar had gebroken om ze weer te helen en om Buell sterker te maken. Toen het bijna was afgelopen, was hij er dankzij de morfine van overtuigd geweest dat er engelen in de kamer waren. Of misschien kwam het niet door de morfine. Het was algemeen bekend dat Buell ook zonder hulp van drugs engelen zag.

Mary Lou hoorde voetstappen in het portaal en ze draaide zich op de kerkbank om. Dominee Riddle kwam de kerk binnen, de mouwen van zijn overhemd opgerold, zijn handen in zijn zakken. Stephen Riddle was de tegenpool van haar oom Buell. Hij preekte niet dat je zelf aan je verlossing moest werken, maar dat de verlossing een zegen was. Er was geen last die Jezus niet van je wilde afnemen, er was geen probleem dat Hij niet kon oplossen. Stephens favoriete vermaning luidde dat het zondig was om te tobben, terwijl Buell je aan het eind van elke dienst opdroeg je thuis in getob te verliezen, je leven onder de loep te nemen om er zo achter te komen wat je fout deed en om Jezus te vragen of Hij je wilde helpen je leven te beteren.

Uiteraard ontbrak het Buell nooit aan vrijwilligers voor karweitjes, hoe onbeduidend die ook waren. Zijn kudde was hem zo toegewijd dat als zijn pick-up het had begeven er meteen een monteur verscheen om die te repareren. Toen er een nieuw dak op zijn huis moest komen, staken de mannen van zijn gemeente de koppen bij elkaar en in één weekend was de klus geklaard. Stephen Riddle zou de kerk nog eerder in elkaar laten storten dan dat de gedachte ook maar bij hem opkwam zijn gemeenteleden te vragen hun last naar vermogen te dragen.

'Warm vandaag,' zei Stephen en hij keek haar vanuit zijn ooghoek aan. 'Hou je het nog vol?'

Mary Lou knikte, een zweetdruppel op haar bovenlip. Opeens wilde ze zo graag naar huis en naar bed dat ze de lakens bijna voelde tegen haar huid. Ze had al haar ziekteverlof echter opgebruikt. Ze kon het zich niet veroorloven er geld bij in te schieten. Hoewel ze er niet aan twijfelde dat Stephen oprecht met haar gezondheid was begaan, wist ze ook dat hij het op haar salaris zou inhouden als ze ook maar een minuut eerder vertrok. Na wat er tussen hen was voorgevallen, zou Mary Lou de predikant eigenlijk in haar macht moeten hebben. Ze zou deze macht naar eigen believen moeten kunnen aanwenden. Om de een of andere onduidelijke reden was ze hier niet toe in staat.

'Hoe is het met ons project?' vroeg hij, en hij gebaarde naar de lege plek boven de preekstoel. 'Vertrouw je het eigenlijk wel met deze aannemer?'

Ze wist waar hij op doelde. Mary Lou was de hele dag al niet op haar kantoor geweest. 'Ik vond dat ik een oogje in het zeil moest houden.'

'Zo te zien ben je wat afgevallen,' zei hij, met een beleefd glimlachje.

'Inderdaad,' beaamde ze. Ze verzweeg echter dat ze niet zomaar een beetje was afgevallen, maar heel veel. Voedsel verdroeg ze slecht de laatste tijd. Wat ze ook at, het lag in haar maag als een brandend kooltje dat haar elk moment van binnenuit kon verteren.

Stephen knikte, waarbij hij zijn kin tegen zijn borst duwde en zijn wenkbrauwen optrok. Dat deed hij altijd als hij eigenlijk nog iets zou moeten zeggen, maar er de woorden niet voor kon vinden. Het was een goede truc, zo maakte hij een diepzinnige en beschouwende indruk, terwijl hij in werkelijkheid gewoonweg niet in staat was zijn gedachten onder woorden te brengen. 'Een man van woorden,' zou Buell hebben gezegd, 'maar geen ervan goed.'

'Tja,' zei ze, in een poging Stephen tegemoet te komen, maar toen zag ze hem met verwrongen mond strak naar haar pols staren. De armband was opeens loodzwaar.

Hij keek snel op, een gekweld lachje om zijn lippen. Ook dat lachje was vertrouwd. Hij wist altijd hoe hij met het juiste gebaar compassie kon opwekken onder het mom van begaandheid met de ander.

Mary Lou observeerde hem toen hij naar het kruis liep en er met een zekere eerbied zijn hand op legde. Zijn vingers streken voorzichtig over het hout, zachter dan hij haar ooit had aangeraakt. Ze dacht aan Anne Riddle, zijn vrouw, en haatte haar met een felle, brandende haat die haar vanbinnen verzengde. Anne was sereen en beeld-schoon, haar heupen staken naar voren en haar huid was als het fijnste porselein. Ze was de perfecte dominees-vrouw: een en al vroomheid, rechtschapenheid en gere-serveerdheid.

'Mooi schoongemaakt,' mompelde Stephen.

Mary Lou zei maar niet dat het kruis nog helemaal niet was schoongemaakt. In plaats daarvan knikte ze en ze probeerde te glimlachen toen hij naar haar keek.

Hij vroeg: 'Hoe gaat het met Pud?'

'Die zit nog op school,' antwoordde ze, en haar stem klonk even zacht als de zijne.

'Heb je het dak al laten maken?'

Ze fronste haar wenkbrauwen toen ze aan het geld dacht dat de reparatie van het dak haar zou gaan kosten. Ze zou de loterij moeten winnen om zich uit de put te kunnen werken waarin ze zich bevond.

'Denk je dat we die brochures vandaag nog de deur uit krijgen?' vroeg hij, doelend op de antiabortusfolders, de belangrijkste bron van inkomsten voor de kerk. Hun adressenbestand was een van de grootste van het land en tot in Michigan werd er geld voor het goede doel gestort. Dat was de eigenlijke reden waarom Mary Lou die och-tend naar de kerk was gegaan, de wetenschap dat ze, als ze nog één kleurenkopie in een envelop stopte, haar pol-sen zou willen doorsnijden. Haar maag draaide om als ze aan de foto op de folders dacht, aan de uiteengereten foetus, het hoofdje ingeslagen met een of ander scherp, walgelijk instrument, en daarboven de smekende kop: 'Waarom stond u mijn mammie toe mij te vermoorden?'

'Mary Lou?'

Ze schudde haar hoofd en tranen sprongen in haar ogen.

'Mary Lou,' herhaalde Stephen, maar ze maakte een afwerend handgebaar waardoor de belachelijke bedelarmband rinkelend tegen haar pols sloeg. 'Waarom draag je die nog steeds?' vroeg hij op gelaten toon, want het was duidelijk dat hij wel wist wat ze zou antwoorden.

'Als aandenken,' zei ze, en ze draaide de armband rond haar pols.

'Ze beweren dat die dingen geluk brengen,' zei hij terwijl hij een blik op het kruis wierp en zijn hand weer over het zachte hout liet gaan.

'Dat zal dan wel,' zei ze. Op de dag dat ze het kleinood had gekregen, had ze tevens het slechtste nieuws van haar hele leven vernomen, en Mary Lou huiverde onwillekeurig als ze aan het kwaad dacht dat als giftig gas uit het ding lekte.

Stephen staarde naar zijn hand op het kruis, zijn gezicht een en al ongenoegen. Zoals zo veel tussen hen was de armband een geheim. Stephen had tegen de gemeente gezegd dat hij een tijdje verlof nam om de armen in de Blue Ridge Mountains te gaan helpen, maar in werkelijkheid had hij zich bij zijn broer in Las Vegas gevoegd, waar de regionale bond van afvalverwerkers een congres hield.

Stephen was er niet bepaald trots op dat zijn broer vuilnisman was – volgens sommige verhalen was hij neurochirurg, volgens andere bankier of missionaris – maar Mary Lou was niettemin blij geweest met de bedelarmband die hij voor haar had meegenomen. Hij had gezegd dat hij al het geld dat hij met blackjack had gewonnen had uitgegeven om iets speciaals voor Mary Lou te kopen. De armband had in een van de vitrines in het Venetian Hotel gelegen, en toen hij er langs was gelopen had hij onmiddellijk aan haar gedacht. Pas later waren haar de gebreken opgevallen: de armband was ooit kapot geweest en daarna zeer ondeskundig gelast; sommige bedeltjes hadden scherpe punten die gaten trokken in haar kleren. De slang bleef voortdurend aan haar mouw haken en het jezusje aan het kruis was niet om aan te zien, zijn gelaat zo gepijnigd dat Mary Lou de aanblik niet kon verdragen.

Desondanks hield ze de armband de laatste tijd ook 's nachts om, en als het haar lukte de slaap te vatten, waren haar dromen gevuld met ijselijke visioenen: een beer die door het duister trok op zoek naar menselijke prooi; een volwassen man die van onderen tot boven was opengesneden; afgehakte handen die zich naar haar uitstrekten alsof ze haar in haar slaap wilden wurgen. Zelfs als ze gillend wakker werd, met het sleuteltje verstrikt in haar haren alsof het een of ander gruwelijk geheim in haar hersens wilde ontsluiten, deed Mary Lou de armband niet af.

Het leek wel of Stephen van dat alles op de hoogte was, want hij opperde: 'Misschien moet je hem niet langer dragen.'

'Waarom niet?' vroeg ze, in de wetenschap dat hij het antwoord schuldig moest blijven. Zo zou ze er altijd aan denken; het was haar eigen brandmerk.

Stephen bleef nog even weifelend staan, maar ten slotte liep hij na een lichte buiging bij haar weg, alsof deze ronde voor haar was. Ze hoorde hoe zijn voetstappen zich van haar verwijderden: eerst een dof geplof op de loper op het middenpad, en daarna scherp geklik op de tegels in het portaal. Toen was hij weg. Stephen kon als geen ander van het toneel verdwijnen.

Brian, de ex-man van Mary Lou, was ongeveer tien jaar te lang blijven hangen. Ze had al een tijdje geweten dat hij haar bedroog, maar oom Buells uitspraak over gescheiden vrouwen drukte nog altijd zwaar op haar. En daarom had ze net zo lang gewacht tot Brian zelf besloot te vertrekken, wat hij haar had verweten, evenals hun zoon. Beide mannen vonden Mary Lou maar een slappeling, een boksbal waarop je naar hartenlust je agressie kon botvieren, en die toch bij je bleef, in afwachting van meer.

Pud was nog erger. Zelf noemde ze haar tienerzoon trouwens geen 'Pud'. Ze had hem bij zijn geboorte William genoemd, en had er altijd op gestaan dat het niet tot iets lomps werd afgekort, zoals Willy of Bill. Twee jaar geleden was William zichzelf Pud gaan noemen, zo rond de tijd dat hij begon te puberen en naar rapmuziek begon te luisteren en broeken ging dragen die zijn bilspleet lieten zien als hij zich vooroverboog. Ze had haar lieve zoontje in een vreemd wezen zien veranderen, een pseudonikker, met zijn blonde haar in strakke vlechtjes op zijn hoofd, en met kleren die om zijn lijf hingen als natte papieren zakken om een stok. Zijn taalgebruik veranderde ook, ze verstond geen woord van wat hij zei, en bovendien zong hij altijd met die vreselijke muziek mee, het was *nigga* voor en *nigga* na, een woord dat Mary Lou nooit in zijn aanwezigheid had gebruikt en dat ze nu tot haar schande uit zijn mond moest aanhoren. Terwijl William toch een bloedhekel aan zwarten had en geen gelegenheid voorbij liet gaan om denigrerende opmerkingen over ze te maken, zelfs als Mary Lou mensen van de kerk op bezoek had.

Hoewel ze veel van haar zoon hield, had Mary Lou

hem voor het eerst in haar leven wel een klap willen ver-
kopen toen William haar grijnzend liet weten dat hij
voortaan alleen nog maar met 'Pud' aangesproken wilde
worden. Er lag een akelige trek om zijn mond toen hij
het woord uitsprak, alsof Mary Lou debiel was en niet
wist dat '*pulling your pud*' slang was voor aftrekken. Tijdens Williams eerste levensjaren had ze als invaller bij
het onderwijs gewerkt. In de lerarenkamer had ze wel er-
gere dingen gehoord dan 'pud'.

Het allerergste aan William vond ze zijn woede, hoewel ze geen idee had waarom hij zo kwaad was. Brian
verweende hem, ook al wilde hij niet met de jongen in het
openbaar gezien worden. De jongen kreeg alles wat zijn
hartje begeerde. De tennisschoenen van tweehonderd
dollar en het skateboard van tachtig dollar (zonder
helm), dat William één keer had uitgeprobeerd en daarna links had laten liggen, waren nog maar een paar van
de dingen die Brian als reden opvoerde om minder alimentatie aan Mary Lou te hoeven betalen. Ze waren
hierover voortdurend aan het ruziën, en als Brian dan tegen haar tekeerging, begon Mary Lou te huilen, want
haar woede was als een strakke knoop in haar binnenste,
waaruit ze alleen nog tranen kon persen. Alimentatie
voor William was niet het enige wat Brian geacht werd te
betalen. Op rechterlijk bevel was hij verantwoordelijk
voor de helft van het onderhoud aan het huis. Niettemin
lekte het dak als het regende, en in de hele wereld waren
niet voldoende emmers om het water op te vangen.
Mary Lou kon schoonmaken wat ze wilde, het vocht
sloeg uit de keukenkastjes en als je het huis betrad, leek
het of je over een beschimmeld brood liep. Godzijdank
had Pud zijn tennisschoenen van tweehonderd dollar,

zodat zijn voeten de grond niet hoefden te raken.

Buiten de kerk klonken timmergeluiden, en Mary Lou schoof langzaam naar het uiteinde van de bank zodat ze kon gaan staan. De armband raakte de leuning, en nadat ze even om zich heen had gekeken, drukte ze met de punt van de biddende engel een groefje in het zachte hout. Toen ze overeind probeerde te komen, verkrampte haar buik, en Mary Lou besefte dat het tijd werd een arts te raadplegen. Vlug berekende ze hoeveel geld ze nog bezat en ze kwam tot de conclusie dat ze een bezoekje aan de dokter wel kon vergeten, ook al zou ze William bij zijn vader laten eten.

Met op elkaar geklemde kiezen duwde ze zich overeind, kreunend van inspanning. Zweetdruppels liepen over haar rug en ze probeerde aan iets koels te denken. Het eerste wat in haar opkwam was de kerkretraite waar ze de afgelopen kerst aan had deelgenomen, toen haar leven onherstelbare schade had opgelopen door wat zich daar had afgespeeld.

Gatlinburg in Tennessee was wat ze in het Zuiden een skioord noemden, ook al moesten ze het grootste deel van de tijd nepsneeuw tegen de berghellingen blazen om mensen in de gelegenheid te stellen op hun ski's naar beneden te glijden. Brian had wel een week voor William willen zorgen, al een wonder op zich, en Mary Lou had de kerk zover gekregen dat die voor een deel van de kosten opdraaide in ruil voor wat extra hulp met de jeugdgroep.

Ze had niet de illusie gehad dat ze zou skiën toen ze naar Gatlinburg ging. Mary Lou was nooit een atletisch type geweest. Ze was een grote vrouw, die niet veel met het buitenleven op had, behalve als ze ergens op een strand kon liggen met een pina colada en een flodderro- mannetje bij de hand. In haar verbeelding zou ze met haar voeten omhoog voor een loeiend haardvuur ro- mantische boeken lezen, waarin de vrouwen sterk en de mannen galant waren. 's Avonds zou ze samen met ande- re gemeenteleden de maaltijd gebruiken en daarna zou- den ze gezellige dingen gaan doen. Het hele gebeuren was ook bedoeld als een godsdienstige retraite voor al- leenstaanden. Nu ze sinds kort weer alleenstaand was, kwam Mary Lou ervoor in aanmerking, maar ze was er niet naartoe gegaan met de bedoeling een partner te ont- moeten. Haar leven was veel te gecompliceerd om ruim- te te bieden aan een nieuw iemand.

Dominee Stephen Riddle was uiteraard een oude be- kende, en ondanks de beperkingen die inherent waren aan hun relatie van werkgever en werkneemster had ze hem al heel lang beschouwd als een betrouwbare raadge- ver en misschien wel vriend. Anne, zijn vrouw, rekende ze ook tot haar kennissen; Mary Lou had wel eens gehol- pen bij verjaarsfeestjes van hun kinderen en ze had zelfs aangeboden het huis van Annes vader schoon te maken toen deze was overleden. Dat Stephen en zij de derde avond van de retraite op haar kamer waren beland, ver- vulde Mary Lou nog steeds met verbazing. Eigenlijk wa- ren ze naar boven gegaan om onder vier ogen met elkaar te praten. Mary Lou wist maar al te goed dat haar ex- man William niet in huis had genomen zonder dat daar iets tegenover stond, en deze nieuwste gunst betekende ongetwijfeld dat ze aan het eind van de maand minder alimentatie voor haar zoon zou ontvangen. Ze had het met de dominee over een eventueel voorschot willen hebben. Ze had gehoopt dat Stephen zou inzien hoe moeilijk ze het had en uit eigen beweging een loonsverhoging zou voorstellen.

Toen Stephen dichter bij haar was gaan staan, had Mary Lou zich overgegeven aan de troost die hij haar bood. Toen hij haar steeds dringender had gestreeld en ze hem hard had voelen worden, was het alsof ze zich in een nevel begaf. Seks met Brian had ze altijd over zich heen laten komen, en hoewel ze in haar vrouwenbladen regelmatig iets over het orgasme had gelezen, had Mary Lou daar op dezelfde manier tegenaan gekeken als tegen recepten en knutselrubrieken: interessant, maar niet iets waar zij ooit aan toe zou komen. Ook Stephen had het op dat gebied laten afweten, maar het was zo heerlijk geweest om in zijn armen te liggen, om zijn stevige lichaam op het hare te voelen, om naar zijn gezicht te kijken toen het verkrampte van genot, dat ze een kreet had uitgestoten en op haar lip had gebeten om het niet uit te schreeuwen.

Stephen had dit voor hartstocht aangezien, en hoewel hij een paar minuten later naar buiten was geglipt met de smoes dat hij op zijn kamer moest zijn voor het geval Anne of een van de kinderen hem nodig had, had hij de volgende avond weer op haar deur geklopt. Ze had hem binnengelaten, lichtelijk opgewonden omdat ze iets slechts deden. Mary Lou had nog nooit iets slechts gedaan. Ze had altijd geprobeerd een zo goed mogelijk leven te leiden uit angst voor de zware straf die haar anders in het hiernamaals zou wachten. Tot haar verbazing ontleende ze een zeker genot aan het verbreken van een kardinale regel: ze had niet alleen seks, maar seks met een getrouwde man. Niet zomaar een getrouwde man, maar haar dominee.

De daaropvolgende avonden, toen Stephen dingen had voorgesteld die hij graag wilde doen, standjes die hij wilde uitproberen, had ze hem aangemoedigd. Eigenlijk had ze hem erom gesmeekt, en de gedachte dat hij al die dingen nooit met Anne had gedaan, maakte haar bijna duizelig van macht. Zelfs als ze op haar ellebogen steunde, met haar achterste hoog in de lucht als een loopse teef, had ze hem nog aangemoedigd, in de bizarre overtuiging dat ze een dergelijke vernedering verdiende.

Na de retraite had Stephen gedaan alsof er niets was voorgevallen, en zijn beleefde gedrag was als een klap in haar gezicht. Twee keer had ze geprobeerd met hem te praten, maar pas toen hij terugkwam uit Las Vegas en de bedelarmband in zijn hand had gehouden alsof hij haar iets geweldigs wilde geven, had ze de boodschap begrepen. Om ieder misverstand te voorkomen, had hij tegen haar gezegd: 'Ik kan dit niet. Ik ben een man van God.'

Toen ze in tranen was uitgebarsten, had hij haar in zijn armen genomen en gesust met zijn kussen, nog tederder dan die paar keer dat ze samen waren geweest. Ze was nog harder gaan huilen, niet omdat ze hem kwijt was, maar omdat ze het nu zonder de tederheid moest stellen die haar deel had kunnen zijn. Ze werd overweldigd door diepe, gekwelde snikken, en ze was Anne gaan haten, want ze begreep dat Stephens tederheid voor Anne was bestemd, en dat Mary Lou slechts zijn hoer was geweest.

'Mevrouw?' Een stem schudde haar wakker.

Geschrokken keek Mary Lou op en ze besefte dat haar ogen vol tranen stonden.

'Ja?' kreeg ze er met moeite uit, en terwijl ze haar ogen droogde, draaide ze zich om en zag de zwarte man achter zich staan. Weer depte hij zijn schedel met de inmiddels niet meer zo witte zakdoek. Achter hem stonden de Mexicanen, in afwachting van zijn bevelen.

'We wilden eigenlijk weer beginnen,' zei hij.

Ze knikte, haar hand op de rugleuning van de kerkbank, en probeerde zich te herinneren waarover hij het had. Het kruis. Natuurlijk, het kruis.

Mary Lou keek op haar horloge, alsof ze iets belangrijks op het programma had staan. 'Hoe lang gaat het nog duren?'

'Minuutje of tien, denk ik.' Hij knikte naar de Mexicanen. 'En ongeveer even lang om hem weer op zijn plaats te krijgen.'

'Jullie staan toch op het parkeerterrein aan de noordkant?' vroeg ze, hoewel ze zijn gedeukte oude pick-up daar had zien staan, met het gereedschap ernaast. Ze wist dat ze haar bevelen braaf zouden opvolgen uit angst anders weggestuurd te worden.

'Ja, mevrouw,' zei hij, en weer gaf hij de mannen een knikje.

Ze liepen het middenpad af alsof het een huwelijk was, hun voetstappen traag en bedachtzaam. Mary Lou keek toe terwijl de Mexicanen het gebroken kruis optilden, dat zwaarder leek dan ze had gedacht, hoewel ze zich misschien ook wel aanstelden. Na het nodige gehijs en gekreun hadden ze het kruis ten slotte hoog genoeg opgetild om het te kunnen wegdragen, en Mary Lou vroeg zich af of Jezus ook zoveel drukte had gemaakt toen hij dat stomme ding de berg op moest zeulen.

'Minuutje of tien,' herhaalde Jasper.

Toen ze weg waren, overwoog Mary Lou weer te gaan zitten, maar ze wist dat het haar dan nog meer moeite zou kosten overeind te komen. Daarom liep ze naar het raam, en tegen het glas geleund keek ze naar de mannen, die het kruis naar het parkeerterrein achter de kerk droegen. En ja hoor: ze liepen veel sneller nu ze dachten dat ze niet keek.

Er stonden al zes zaagbokken opgesteld, ongeveer in de vorm van het kruis, en terwijl Jasper ze op de goede plek schoof, lieten de mannen het kruis erop zakken. Hij hield de gebroken rechterarm met één hand vast terwijl hij de zaagbokken een duw met zijn voeten gaf of een ruk met zijn vrije hand. Het kerkraam was een stuk hoger dan het parkeerterrein, en Mary Lou kon alles van bovenaf in de gaten houden. Het kruis leek weer kleiner nu het een eind verderop lag. Zo ging dat met afstand, dan leken de dingen kleiner. De tijd had hetzelfde effect. Als Mary Lou bijvoorbeeld terugdacht aan Gatlinburg, dan leek het voorval veel onbeduidender. Wat eruit was voortgevloeid, nam uiteraard grotere proporties aan, en de afloop was duister.

Oom Buell zei altijd dat een vrouw harder kan lopen met haar rok omhoog dan een man met zijn broek naar beneden, maar hij had er niet bij verteld dat als beiden uiteindelijk hun vluchtpoging staken, het de vrouw is die voor de gevolgen moet opdraaien. Mary Lou was ervan overtuigd dat Stephen Riddle de Heer om vergeving had gesmeekt en dat zijn gebed was verhoord. Mary Lou had om verlossing gebeden en had een kind ontvangen.

Haar menstruatie was altijd al onregelmatig geweest. In de kerk had ze nauw met Stephen moeten samenwerken, en soms moest ze wel twee keer per week naar Williams school om ze te smeken haar zoon niet weg te sturen, en dat alles had haar zoveel energie gekost dat Mary

Lou er niets achter had gezocht toen ze al maanden geen bloed meer in de toiletpot had gezien. Bovendien was ze een forse vrouw, en toen haar buik begon uit te dijen, weet ze dat aan al het fastfood dat ze at en aan de chips die ze 's avonds laat voor de televisie naar binnen werkte. Het zou ook de menopauze kunnen zijn, had ze zichzelf voorgehouden. Ze was zelfs blij geweest dat ze in de overgang was, want dat betekende één probleem minder.

Toch moest ze het ergens geweten hebben, want toen ze uiteindelijk een arts had durven raadplegen, was ze niet naar dokter Patterson gegaan, die William ter wereld had geholpen, maar naar een arts in Ormewood, twee stadjes verderop, die daar pas een praktijk was begonnen.

'Gefeliciteerd,' had de dokter gezegd toen Mary Lou hem had gebeld voor de uitslag. Vervolgens had hij een lange lijst instructies over voeding en lichaamsbeweging opgedreund, haar de naam gegeven van een goede vroedvrouw en gezegd in welk ziekenhuis ze het beste kon bevallen.

Mary Lou had het allemaal opgeschreven op een stapeltje rekeningen dat bij de telefoon in het kerkkantoor lag, in de vurige hoop dat er niemand zou binnenkomen. Even had ze zich vertwijfeld afgevraagd of de telefoon misschien werd afgeluisterd, maar toen had ze beseft dat de kerk waarschijnlijk te gierig was om daar geld aan te besteden. Dan zouden ze nog eerder Randall voor de deur posteren om haar af te luisteren. Maar voorzover Mary Lou wist, stond er buiten niemand op de loer.

'Hebt u nog vragen?' had de dokter gezegd.

'Zijn er ook...' ging Mary Lou van start, heel zachtjes, want ze was nog steeds bang dat iemand haar ongemerkt afluisterde. 'Zijn er ook andere opties?'

Al op het moment dat ze de vraag stelde, wist Mary Lou precies waarop ze doelde. Ze had de hele dag brieven in enveloppen zitten stoppen, ze had in elke smetteloos witte envelop een kleurenkopie van dat verminkte kind geschoven, er een sticker met een adres uit hun nationale bestand op geplakt en het ding door de frankeermachine gehaald opdat de brief zo snel mogelijk bezorgd zou worden.

'Mevrouw Riddle,' had de dokter gezegd, haar aansprekend met de naam die ze had opgegeven. 'Volgens mij begrijpt u het niet helemaal. U bent in uw derde trimester.'

'En?' had ze gezegd, en ze had zich afgevraagd wat het probleem was.

De dokter had een hautaine toon aangeslagen. 'Abortus in het derde trimester is illegaal in de staat Georgia, mevrouw Riddle.' Vervolgens had hij Mary Lou te kennen gegeven dat hij waarschijnlijk geen plek voor haar had in zijn praktijk en dat ze maar het beste naar iemand aan de andere kant van de stad kon gaan.

Ze had haar hand nog een hele tijd op de hoorn laten rusten, ook toen ze die allang had neergelegd, met stomheid geslagen door de woorden van de dokter. In heel Amerika werden aan de lopende band late abortussen uitgevoerd. Er lagen wel tienduizend brochures op haar kantoor met verhalen uit het hele land over levensvatbare foetussen – baby's, kinderen eigenlijk – die in de baarmoeder waren gedood. Hun schedeltjes waren doorboord om ze te laten inklappen, hun hersentjes waren met vacuümslangen weggezogen en in stukjes aan medische onderzoekers verkocht. Abortus door partiële geboorte leek wel een plaag in de Verenigde Staten. Het was aan de orde van de dag.

Na enig nadenken had Mary Lou de deur van haar kantoor op slot gedaan en was op de vloer achter haar bureau gaan zitten, het telefoonboek van Atlanta op haar schoot. Met grote regelmaat organiseerde de kerk protestdemonstraties; dan kropen ze met zijn allen in het kerkbusje en tenzij het onverwacht ging regenen, postten ze bij allerlei abortusklinieken in Atlanta. Ze droegen borden met teksten als MOORDENAARS! en STOP DE BABYMOORD! De artsen die in die klinieken werkten, schaamden zich zo diep dat ze de gemeenteleden niet in de ogen durfden te kijken. Ze liepen met gebogen hoofd voorbij en bedekten hun oren als er leuzen werden gescandeerd. 'Red de baby's! Dood aan de dokters!'

Mary Lou had allereerst deze klinieken gebeld. Toen ze allemaal met hetzelfde verhaal kwamen als de dokter, had ze de beroepengids doorgenomen en elke gynaecoloog gebeld waarvan de naam deed vermoeden dat hij haar misschien wel wilde helpen. Ze was begonnen met de joodse artsen, gevolgd door een paar met Pools klinkende namen, en toen had ze de praktijk van een Latijns-Amerikaanse arts gebeld; de vrouw die de telefoon opnam, sprak nauwelijks Engels maar slaagde er niettemin in aan Mary Lou duidelijk te maken dat wat ze vroeg niet alleen illegaal was, maar ook indruiste tegen Gods gebod.

Toen ze al die namen had afgewerkt, had Mary Lou een aantal voor de hand liggende klinieken gebeld, alle met het voorvoegsel 'vrouwen' in hun naam, en vervolgens de 'feministische' instellingen. Ze had op het internet gezocht en telefoonnummers verzameld van klinieken in steden die niet al te ver weg waren, in Tennessee en Alabama, maar overal had ze in niet mis te verstane bewoordingen te horen gekregen dat een dergelijke procedure niet uitgevoerd kon worden. Eén vrouw had sympathiek geklonken en haar verteld dat er een handjevol staten was dat abortus in een dergelijk ver stadium toestond, maar dan moest het wel buiten kijf zijn dat het leven van de moeder op het spel stond.

Mary Lou had over die zin nagedacht en was tot de conclusie gekomen dat haar leven inderdaad op het spel stond. Als ongehuwde moeder kon ze niet voor de kerk blijven werken. Ze had nauwelijks genoeg geld om William en zichzelf te voeden, laat staan een klein kind. Bovendien waren baby's altijd ziek, hadden altijd medicijnen en artsen en God nodig; alleen al bij de gedachte kreeg ze het gevoel alsof ze glas had ingeslikt. De kerk was vrijgesteld van de verplichting haar ziekteverzekering te betalen, en de particuliere verzekering die ze alweer jaren geleden had bestudeerd, kostte zeshonderd dollar per maand. Nadat ze de hypotheek en de autoverzekering had betaald – want voor haar werk had ze een auto nodig – bleef er amper zeshonderd dollar van haar loon over. Na het bezoekje aan die arts had ze twee weken lang brood met pindakaas en jam moeten eten.

Na het laatste telefoontje was de maat vol geweest. De vrouw aan de andere kant van de lijn was zowaar tegen haar gaan preken, ze had gezegd dat er voortreffelijke christelijke organisaties waren die haar konden helpen in deze moeilijke tijd. Mary Lou had op het puntje van haar tong gebeten om maar niet uit te schreeuwen dat ze zelf deel uitmaakte van zo'n christelijke organisatie en dat ze op straat zou staan als ze erachter kwamen.

Woedend had ze de hoorn op de haak gesmeten. God nog aan toe, ze was toch geen crackverslaafde? Ze was niet een van die vrouwen die abortus als een vorm van anticonceptie beschouwden. Ze was niet een of andere slet die alleen maar aan haar carrière dacht en geen tijd had voor een kind. Ze was dol op kinderen. Elke laatste zondag van de maand werkte ze als vrijwilligster in de crèche van de kerk. Ze was móéder.

Haar ogen schoten vol tranen en ze betrapte zich erop dat ze haar pols naar haar mond bracht en erop begon te zuigen, zoals ze dat als kind altijd had gedaan. De bedeltjes aan de armband tikten tegen haar tanden en de metalen smaak brandde in haar keel. Ze nam de bedeltjes een voor een in haar mond en zoog erop alsof ze er een soort kracht aan wilde onttrekken. Ze had het ding altijd als iets boosaardigs beschouwd, een akelig aandenken aan haar zonde, maar nu betrapte ze zichzelf erop dat ze de bedeltjes – het medaillon, de balletschoentjes, de vuurtoren, het kruis – aan het aftellen was, als een soort rozenkrans.

Terwijl Mary Lou het puntje van haar tong over het kruis had laten gaan, had ze opeens beseft dat die instellingen natuurlijk nooit iets over de telefoon zouden zeggen waarmee ze problemen zouden kunnen krijgen. Wisten zij veel wie ze was. Ze kon wel een overheidsinspecteur zijn, een rechercheur, of een antiabortusactivist die hun een uitspraak probeerde te ontlokken en ondertussen stiekem het telefoongesprek opnam. Mary Lou zou ernaartoe moeten gaan voor een persoonlijk gesprek. Ze wist zeker dat ze haar dan wel zouden helpen. Ze zouden zo kunnen zien dat ze er niet op uit was hen erin te laten lopen, maar dat ze echt hulp nodig had.

Stephen had verbaasd opgekeken toen Mary Lou om een vrije dag had gevraagd. Elk kwartaal had ze recht op een aantal dagen ziekteverlof, maar in de tien jaar dat ze voor de kerk had gewerkt, had ze niet meer dan een handjevol opgenomen. Niettemin had hij haar aangekeken alsof hij wilde zeggen: 'Als je er maar geen gewoonte van maakt.'

Op dat moment had ze iets over hun affaire kunnen zeggen, iets waarmee ze hem de mond had kunnen snoeren, maar ze wisten beiden dat ze er niet toe in staat was. De kerk was alles wat ze nog had. De kerk was haar leven. Ze werkte er, bezocht de diensten, en de paar vrienden die ze nog over had, had ze ook aan de kerk te danken. Mary Lou bracht meer uren op deze plek door dan in haar eigen huis. Als men lucht kreeg van de affaire, dan zou Stephen er niet op worden aangekeken. Ze zouden allemaal beschuldigend naar haar wijzen. Zelfs toen Brian haar in de steek had gelaten, toen hij haar zo open en bloot had bedrogen dat zelfs zijn eigen moeder hem een waardeloze vent had genoemd, hadden de mensen het aan Mary Lou toegeschreven. Ze had het vast aan zichzelf te wijten dat haar man bij haar was weggelopen. Ze was vast geen goede vrouw voor hem geweest. Het kon toch niet aan Brian liggen? Hij was een prima kerel die altijd goed voor zijn gezin had gezorgd, tot op de dag dat hij vertrok.

Dezelfde soort logica zou ter verdediging van Stephen worden aangevoerd. Hij was niet alleen getrouwd en had twee schattige kinderen, die geen van beiden met Pud wensten te worden aangesproken, maar hij was ook een man van God, een geleerd man. Stephen Riddle had aan het seminarie in Atlanta gestudeerd. Hij had een doctoraat in de godgeleerdheid. Hij was niet het type dat door een dergelijke onthulling schade zou oplopen. Mary Lou kende de gemeente maar al te goed en ze vermoedde dat ze nog meer van hem zouden houden als bleek dat hij een dergelijke beproeving had doorstaan en toch trouw was gebleven aan zijn gezin. Ze hoorde de preek al die hij naar aanleiding hiervan zou houden. 'God heeft me op de proef gesteld en ik heb gefaald,' zou hij zeggen, en zo zou hij de verantwoordelijkheid spreiden terwijl hij wachtte tot zijn zonden werden weggewassen.

Spijt sneed door haar heen telkens als ze dacht aan hoe Stephen haar had behandeld toen ze in zijn kantoor had gestaan en om iets had gevraagd waar ze recht op had. Op dat moment was de basis gelegd voor zijn totale macht over haar en het verbaasde haar niets toen hij de zaak veel vaardiger had aangepakt dan zij. 'Is dat alles?' had hij op bitse toon gevraagd, en Mary Lou had alleen nog maar kunnen knikken. Toen had hij zich weer over zijn bureau gebogen, over zijn opengeslagen bijbel, zich van haar afgemaakt door haar de bovenkant van zijn hoofd toe te keren.

De kliniek in Atlanta lag wat achteraf, maar het had Mary Lou geen enkele moeite gekost het gebouw te vinden. Ze was er al meermalen naartoe gereden, altijd met zo'n twintig tot vijftig mensen, meest vrouwen, gewapend met koeltasjes en broodjes en thermoskannen koffie, alsof het een excursie was in plaats van een poging iets tegen te houden wat eigenlijk op moord neerkwam.

Het was ook moord. Daar kon je niet omheen. Mary Lou had niet aan deze fundamentele waarheid willen denken toen ze dat hele eind naar Atlanta reed. Zoals zo vaak de laatste paar maanden, waren haar gedachten afgedwaald naar haar kindertijd. In haar verbeelding zat ze weer in het souterrain van oom Buell en luisterde naar het evangelie. Wat had alles toen eenvoudig geleken, wat was alles zwart-wit geweest. Met hard werken en bidden kon je uiteindelijk alles overwinnen. Er was niets wat de geest niet kon bevatten. Nooit gaf God je meer dan je kon dragen, en zelfs als de inspanning je had gebroken, zou Hij je weer heel maken, sterker dan ooit. Dat was Zijn zegen. Dat was Zijn geschenk.

Mary Lou, die nog nooit in een abortuskliniek was geweest, had versteld gestaan toen ze merkte hoe aardig iedereen was. Vanbuiten had het gebouw er somber en grimmig uitgezien, zoals het een executieruimte betaamde. De tralies voor de ramen en de bewaker bij de deur versterkten deze indruk alleen maar, alsof de vrouwen die door de zware houten poort naar binnen gingen ter dood veroordeelde gevangenen waren. Binnen hingen de in lichte kleuren geschilderde muren vol vrolijke posters van kinderen en dieren. Wat haar nog het meest had verbaasd, waren de brochures over vruchtbaarheidsbehandelingen, adoptie en postnatale zorg. Ze had nooit geweten dat de kliniek ook een gynaecologische praktijk was, waar vrouwen terecht konden voor uitstrijkjes en advies. Maar ronduit verbijsterend waren de kinderfoto's op het overvolle prikbord naast de deur, levende kinderen, ter wereld geholpen door artsen die in de kliniek werkten.

Mary Lou had naar de kinderfoto's gekeken en opeens heel duidelijk beseft dat ze hier niet toe in staat was. Haar maag draaide om, en niet omdat ze zwanger was. Ze werd door angst bevangen, zo hevig dat haar ingewanden verkrampten alsof ze in een bankschroef zaten.

Toen de verpleegkundige 'Mevrouw Riddle,' had geroepen, was Mary Lou de deur uit gestormd en naar adem snakkend was ze de straat overgestoken, naar haar auto. Ze was zich er nog wel van bewust dat ze in Atlanta was en ze hield haar sleutels in haar vuist geklemd, met de scherpste punt naar voren, voor het geval ze werd aangevallen. Ze werd niet aangevallen, maar toen ze bij haar auto kwam, stond er wel een man tegenaan geleund.

Hij had 'Goedemorgen, zuster,' gezegd en haar van top tot teen bekeken, zoals een boer een koe keurt die hij wil kopen. Hij zag er smerig uit en was duidelijk een zwerver. Hij hield zijn armen gekruist voor zijn borst, precies zoals haar vader vroeger altijd deed als Mary Lou iets had uitgespookt wat hem niet aanstond.

'Ga opzij, alstublieft,' had ze gezegd, hoewel haar stem allerminst dreigend klonk. Ze was uitgeput, emotioneel afgemat en kon alleen nog uiting geven aan haar grote verslagenheid.

'U komt daarvandaan, hè?' had hij gezegd, en hij had naar de kliniek gewezen. 'Ik heb u daar uit zien komen.'

'Nee,' had ze gelogen, en ze had geprobeerd door haar mond te ademen toen de wind van richting veranderde en ze hem kon ruiken. 'Wilt u alstublieft aan de kant gaan, want anders zal ik de politie moeten bellen.'

Hij had haar met een bepaald soort blik aangekeken, dezelfde blik waarmee ze haar hele leven al was aangekeken: je bent niets waard. Je kunt me toch niets doen, want je weet dat het je verdiende loon is. Zo keek William haar aan en Brian vroeger ook, en nu Stephen Riddle. Opeens had ze er genoeg van, en ze besloot op dat moment dat ze een dergelijke blik niet van een haveloze vreemde accepteerde. Woede was in haar opgeweld en zonder erbij na te denken had Mary Lou zich op de zwerver gestort, ze was hem als een woesteling met de sleutel te lijf gegaan; een huiveringwekkende oerkreet was aan haar mond ontsnapt toen ze hem in zijn gezicht stak, in zijn hals en in zijn handen, die hij afwerend voor zich hield.

Ze had de beelden van de aanval niet uit haar hoofd kunnen zetten toen ze terug was gereden naar Elawa. Ze had hem tot bloedens toe verwond. Met ongekende felheid had Mary Lou de walgelijke zwerver aangevallen, woede had haar als een vloedgolf overspoeld, haar gezonde verstand ondergraven, en alleen het losse slib van de haat achtergelaten, waarvan ze zich niet kon ontdoen. Ergens had ze de man wel willen vermoorden. Verbazingwekkend genoeg was ze ergens ook in stáát geweest hem te vermoorden. Mary Lou had het nooit voor mogelijk gehouden dat ze over de kracht zou beschikken om zichzelf te verdedigen, laat staan dat ze het soort persoon was tegen wie iemand anders zich zou moeten verdedigen.

Toen ze in de achteruitkijkspiegel had gekeken, had ze tot haar verbazing bloed op haar wang gezien. Ze wist zeker dat het niet van de zwerver was. Het was haar eigen bloed. Mary Lou had zich opengehaald aan de bedelarmband toen ze de sleutel naar achteren zwaaide en op zijn ogen richtte. Als hij in die fractie van een seconde zijn hoofd niet opzij had gedraaid, dan zou ze hem blind hebben gemaakt. Als het hem niet gelukt was onder de dichtstbijzijnde auto weg te kruipen toen ze haar voet had opgetrokken om hem te schoppen, dan zou Mary Lou hem met haar blote handen hebben gewurgd, daarvan was ze overtuigd.

Hoe had het zover kunnen komen, vroeg ze zich af. Wat had haar bezield? Die arme sloeber was waarschijnlijk alleen maar op geld uit geweest, een paar dollar voor een kop koffie of wat voor bocht dan ook dat hem op straat had doen belanden. Wat had zich in haar binnenste voltrokken dat Mary Lou nu tot moord in staat was?

Onder het rijden had ze haar pols naar haar mond gebracht, en het had haar geduizeld, zoveel mogelijkheden waren er. Ze proefde haar eigen bloed, dat aan de bedeltjes kleefde, ze had er als een kind aan gezogen. Er zat iets slechts binnen in haar, iets wat haar in een monster veranderde. Toen dit tot haar doordrong, was ze bijna tegen een gigantische truck opgeknald. Mary Lous hand schoot naar beneden, ze schakelde en onder een kakofonie van claxons reed ze de berm van de snelweg op.

Dat slechte in haar was Stephens kind. Het kind was haar zonde, het zat haar dwars, het probeerde haar te breken. De oplossing was eenvoudig: ze kon zich alleen maar van haar zonde bevrijden door zich van het kind te ontdoen.

Het gebed was als een verlossing gekomen. Rond de tijd dat William werd geboren had ze het contact met God verloren. Het moederschap was de kern van haar leven geworden en alleen in moeilijke tijden had ze het hoofd nog gebogen. Rochelend gehoest dat midden in de nacht uit Williams kamertje klonk. Hoge koorts die niet wilde wijken. Onverklaarbare schaafwonden en blauwe plekken. Een uitbraak van hersenvliesontsteking op een naburige peuterspeelplaats.

Als Stephen vanaf de kansel om stilte verzocht, deed Mary Lou plichtmatig mee, dan boog ze haar hoofd en wachtte, zonder ook maar in de verste verte rekening te houden met de mogelijkheid dat God contact met haar zocht. Ze wierp af en toe een blik op haar horloge en keek wat mensen aanhadden en naast wie ze zaten. Nu ze voor de kerk werkte, was ze meer in de buitenkant dan in de inhoud geïnteresseerd, en het enige waaraan ze tijdens de dienst dacht, was dat de bekleding op de stoelen van de diakens gerepareerd moest worden, of dat ze Randall moest vragen de plint rond het podium schoon te maken.

Na haar seksuele avontuur met Stephen had zelfs de gedachte aan gebed godslasterlijk geleken. Buell had het er al vroeg bij haar ingehamerd dat de dominee het medium was door wie je God kon bereiken. Mary Lou kon Stephen met geen mogelijkheid als een dergelijk medium zien. Als ze hem al in gedachten voor zich zag, dan zat hij altijd achter haar, zoals toen, kreunend van genot; ze had haar ogen opengedaan om te zien wat er zo spannend aan was en slechts een glimp van haar borsten opgevangen, die naar beneden hingen als de uier van een koe die nodig gemolken moest worden.

Daar in haar auto, in de berm van de snelweg even buiten Atlanta, had Mary Lou zich getroost gevoeld door de mogelijkheid van verlossing. Ze had de armband in haar mond genomen, het kruisje veilig op haar tong, en zo had ze tot God gebeden en Hem gevraagd haar van haar zonden te verlossen. Terwijl het voorbijrazende verkeer de auto deed schudden, had zij haar ogen stijf dichtgeknepen en Hem gesmeekt haar niet nog verder te breken. God moest haar toch kunnen vergeven zonder haar helemaal uiteen te scheuren. Ze had gebeden om begrip voor haar situatie, en toen haar gebed niets uithaalde, had ze gebeden om de kracht die ze nodig zou hebben om te doen wat ze moest doen.

In een flits had ze begrepen wat haar te doen stond. Haar enige redding was de dood. Terwijl ze de auto had ingevoegd tussen het verkeer op de snelweg, had Mary Lou haar voornemen voor zichzelf gerechtvaardigd. Ze wist dat William gelukkiger zou zijn als hij bij zijn vader woonde. Brian zou ongetwijfeld dolblij zijn als hij van haar af was, en Stephen was al wanhopig op zoek naar een manier om Mary Lou uit de kerk en uit zijn leven te laten verdwijnen. Ze zou hen toch alleen maar aan hun eigen teleurstellingen herinneren. Ze was geen goede vrouw, geen goede moeder, niet eens een goede minnares.

Onder het rijden had ze gebeden om wijsheid. Haar handen waren gaan zweten toen ze had overwogen van een van de vele bruggen tussen Atlanta en Elawa af te rijden, maar ze was tot de conclusie gekomen dat het ongelooflijk egoïstisch zou zijn als ze met haar auto tegen een ander voertuig op knalde.

In de loop van de daaropvolgende dagen had ze zich in het onderwerp zelfmoord verdiept, en ze had de mogelijkheden die ze tot haar beschikking had op dezelfde wijze afgewogen als toen ze het afgelopen najaar een nieuwe koelkast moest hebben en *Consumer's Digest* had geraadpleegd. De beste manier, had ze besloten, was met een pistool, maar ze had niet genoeg geld om er een te kopen, en bovendien was het in Elawa bijna even moeilijk om een pistool te kopen als om abortus te plegen. Ze wilden je vingerafdrukken hebben. Er was een wachttijd. Eigenlijk waren er zoveel obstakels dat Mary Lou zich was gaan afvragen of de mensen die brochures volschreven over het feit dat Amerika met een noodvaart naar de bliksem ging, wel beseften dat al die zaken waartegen ze waarschuwden veel moeilijker uitvoerbaar waren dan ze dachten.

Pillen zouden ongetwijfeld uitkomst bieden, maar ze wist niet hoe ze aan de juiste moest komen, en ze was bang dat William het door zou krijgen als ze het aan hem vroeg en ze haar misschien wel uit zijn eigen voorraad zou geven. Zelfs als ze geweten zou hebben hoe ze aan pillen moest komen, dan kostten illegale drugs onge-twijfeld heel veel geld, en na twee bezoekjes aan de dok-ter – de kliniek had contante betaling geëist – had Mary Lou niets meer over. Ze had nog wat valium uit de tijd dat Brian van haar scheidde, maar dat waren maar tien pilletjes, nauwelijks genoeg om het plan ten uitvoer te brengen. Ze had geen garage bij haar huis, anders zou ze de motor van haar auto wel hebben aangezet en de uit-laat de klus laten klaren. Slapend sterven leek haar de ge-makkelijkste uitweg, maar misschien was die daarom wel zo moeilijk te realiseren.

Het opensnijden van haar polsen leek haar een goed idee, maar toen ze een uurtje met die gedachte had ge-speeld, had ze beseft dat William haar dan zou vinden en al het bloed zou zien. Ze maakte zich niet zozeer zorgen om de emotionele littekens die hij zou kunnen oplopen als hij zijn moeder dood in haar eigen bloed aantrof als om de mogelijkheid dat hij het lekker zou vinden en dat ze door een dergelijke daad de volgende Ted Bundy of Jeffrey Dahmer zou creëren.

Weer had Mary Lou op het kruisje aan de armband ge-sabbeld, en weer had ze God gevraagd of Hij haar wilde laten zien hoe ze zichzelf van het leven kon beroven. Merkwaardig genoeg was Zijn teken verschenen in de vorm van een brochure. Er waren precies zeven dagen verstreken sinds ze die zwerver bijna had vermoord, en Mary Lou was nog niet helemaal de oude. Meestal gooide ze reclame meteen weg, maar om de een of andere reden was ze alles gaan lezen wat in de brievenbus van de kerk belandde, alsof haar leven ervan afhing.

Ze had alle aanbiedingen, van Reader's Digest tot hypotheekbanken, van voor naar achteren doorgenomen en de jeugdwerker ingeschreven voor een loterij met een hoofdprijs van een miljoen dollar (ook al wist ze dat als hij zou winnen de kerk geen stuiver van het geld te zien zou krijgen). Toen was ze op een felroze, dubbelgevouwen brochure gestuit. Bij het zien van de kleur had Mary Lou nattigheid moeten voelen, maar sinds haar reisje naar Atlanta was haar gevoel finaal afgestompt. Afwezig sloeg ze het document open en onmiddellijk werd haar blik naar de afbeelding van een opengebogen kleerhanger getrokken. De punt zag zwart van de naar alle kanten uitwaaierende strepen, want in tegenstelling tot de kerk konden deze pro-abortusorganisaties zich uiteraard geen kleurenkopieën veroorloven. De kop luidde: 'Moeten vrouwen weer hun toevlucht nemen tot achterkamertjespraktijken?'

Mary Lous mond was opengevallen en het natte bedeltje was tegen haar kin gekletst. Nu wist ze hoe Zijn antwoord luidde. Ze wist wat haar te doen stond.

Het enige waar ze tijdens het hele proces van geschrokken was, was de pijn. Mary Lou had eigenlijk gemeend dat ze erboven verheven zou zijn, maar de pijn was zo intens geweest dat ze halverwege buiten bewustzijn was geraakt. Ze had geen idee hoe lang ze weg was geweest. Toen ze uiteindelijk weer was bijgekomen, was het bui-

ten donker geweest, en Mary Lou had niet op de klok gekeken. Net als bij een splinter was het pijnlijker geweest
de kleerhanger er uit te trekken dan hem erin te ram-
men. Ze bloedde, maar niet zo hevig als ze had verwacht.
Het bloed was donker en stroperig, heel anders dan het
bloed op de televisie, en daardoor minder echt.

De hele nacht had ze krampen gehad, maar toch kwam
het kind er niet uit. Waar ze nog het meest naar verlangde was slaap. Ze had zich afgevraagd of de reden waarom
ze er niet in geslaagd was zichzelf te doden was dat God
haar wilde laten leven, maar Mary Lou vond dat allang
best. Er was maar één ding waaraan ze behoefte had, en
dat was aan slaap. Aan rust.

Er was een week voorbijgegaan en ze had al haar ver-
lofdagen opgebruikt. Als het William al was opgevallen
dat zijn moeder ziek was, dan zei hij er niets over. Aan de
muziek die op volle sterkte uit zijn kamer knalde, hoorde
ze of hij thuis was of wegging. Maar misschien had hij de
stereo op een tijdklok aangesloten. Van haar zoon kreeg
ze al helemaal geen hoogte.

Ze was weer gaan werken omdat het moest, niet omdat
ze ertoe in staat was. Uit het vervullen van je plicht viel
lering te trekken, dat wist ze, maar die eerste werkdag
was zo zwaar geweest dat Mary Lou haar zelfmoordplan-
nen weer in overweging had genomen. Ze voelde een
ontsteking vanbinnen, als een smeulend vuur. Ze had
niet genoeg bloed verloren. Ze had geen vingertjes of
teentjes in de toiletpot gezien. Zo langzamerhand had er
toch iets moeten komen, en als dat niet het geval was,
dan kon dat alleen maar betekenen dat het er nog steeds
zat, dat het nog steeds aan het wegrotten was in haar binnenste.

Wat moest ze doen? In het ziekenhuis zouden ze met één oogopslag zien wat er aan de hand was. Ze kon niet naar haar eigen arts gaan, want hij was diaken van haar kerk. Er zat niets anders op dan naar zijn praktijk te bellen en te zeggen dat ze een voorhoofdsholteontsteking had, maar dat ze geen tijd had om een afspraak te maken. Gelukkig had de assistente een recept voor antibiotica laten uitschrijven zonder verder vragen te stellen. Mary Lou wist echter niet zeker of de pillen werkten. Dat was zo lastig met antibiotica. Je had bepaalde soorten voor bepaalde ontstekingen. Was een voorhoofdsholteontsteking hetzelfde als de ontsteking die in haar onderbuik woedde? Zou deze langzame, rottende ziekte dan uiteindelijk haar dood betekenen? Had ze dat alles moeten doorstaan, haar gezin beschaamd, haar God beschaamd, haar naaste begeerd, doodzonden begaan, allemaal voor niets?

Ze had zielsgraag willen bidden, met God willen praten en Hem nogmaals om hulp willen vragen, maar haar geest had geweigerd. Zelfs toen ze de armband als een sacrament in haar mond had genomen, bleven gedachten uit. Ze had overwogen zich hardop tot de Heer te richten en de kritieke situatie waarin ze zich bevond op te biechten, maar stel je voor dat iemand het hoorde. Stel je voor dat Stephen Riddle haar biecht opving en haar vanaf de kansel verloochende. Of dat de hele kerk erachter kwam wat ze had gedaan en haar uitstootte. Ze zou de paar vrienden die ze nog had verliezen, en William zou haar ontnomen worden. Ze zou niets meer hebben, niet eens een plek om God te eren.

Heel geleidelijk had ze zichzelf voelen vervagen uit het leven dat ze altijd had gekend. Na jaren van mislukte diëten was ze opeens afgevallen. Eten smaakte haar niet meer. Ze las niet meer, ze keek geen tv meer. Toen de school William schorste, had ze nauwelijks de kracht om haar schouders op te halen. Toen Brian haar vertelde dat hij niet in staat was zijn helft van de hypotheek te betalen, had ze zonder nog een woord te zeggen simpelweg opgehangen.

'Mevrouw?' Jasper riep haar vanuit de deuropening en Mary Lou besefte dat ze weer aan het vervagen was. Ze wendde zich van het raam af en terwijl haar vingers de bedelarmband zochten, richtte ze haar blik op de zwarte man. Hij stond achter in de kerk, en als hij een pet had gedragen, dan zou hij die nu in zijn toegetakelde handen hebben gehouden. Ze vroeg zich af of hij zich misschien niet op zijn gemak voelde in een kerk. Die indruk maakte hij wel zoals hij daar stond met zijn tenen tegen de rand van het tapijt, alsof hij de ruimte niet durfde te betreden.

'Ik kom eraan,' zei ze, en met de armband in haar hand geklemd liep ze op hem af. Het leek of hij haar zijn hand wilde toesteken toen ze het portaal had bereikt, maar Mary Lou kruiste haar armen voor haar borst ten teken dat ze geen hulp nodig had. Naar de uitdrukking op zijn verwrongen gezicht te oordelen, zag ze er niet al te best uit. Ondanks de warmte die in het portaal hing, liepen de koude rillingen over haar lichaam en de achterkant van haar benen prikte, alsof duizend naalden tegelijk in haar huid staken.

Ze liepen het parkeerterrein over, en de hitte omhulde hen als een deken. De zon was zo fel dat hij zwart leek tegen de blauwe middaghemel. Mary Lou hield haar blik op de zaagbokken gericht, maar slaagde er niet in de vorm van het kruis te onderscheiden. Ze struikelde en greep Jasper vast om niet te vallen. Zijn huid was warm onder de lange mouwen en ze voelde de pezen van zijn gehavende arm, het aanspannen van de spieren toen hij haar probeerde te ondersteunen. Toch viel ze op haar knieën en met zwaaiende armen tastte ze naar de droge lucht. De pijn in haar buik was nu zo hevig dat ze voor- over tuimelde; het warme asfalt sloeg in haar gezicht en drong als hellevuur door haar kleren heen.

Ze werd overweldigd door een verscheurende pijn, als- of er iets levends in haar onderlijf zat dat zich naar bui- ten klauwde. Ze greep haar buik vast, schreeuwde het uit van ellende, sloot haar ogen tegen het zwarte gat van de zon, en op dat moment verkrampten haar ingewanden, haar baarmoeder trok samen en stootte haar zonde uit op het asfalt. Het bloed dat ze tot op dat moment had vastgehouden, sijpelde nu als honing tussen haar benen door; ze voelde zwaar vocht en weefsel als grote brokken natte klei langs haar dijen druipen.

Mary Lou rolde zich op haar rug en de Mexicanen de- den snel een paar stappen achteruit, alsof er zuur over hun voeten was uitgegoten. De hand die ze op haar mond legde was besmeurd met haar eigen bloed en met iets anders waarvoor ze geen naam had. Het lag over de grond verspreid, als gladde zwarte olie. Ze keek op om de zon in de hemel te zoeken, om net zo lang naar die zwar- te stip te staren tot het beeld voor altijd op haar netvlies was gebrand, maar het zicht werd haar ontnomen door de gigantische arm van het kruis. Ze hadden het gerepa- reerd, en slechts een dun naadje gaf aan waar de stukken weer aan elkaar waren bevestigd. De plek waar het ge- broken was geweest, was geheeld als een verse wond, en het litteken zou het hout alleen maar steviger, krachtiger maken.

'Heilige moeder,' zei een van de Mexicanen en weer voelde ze iets vloeibaars tussen haar benen naar buiten barsten.

Opnieuw werd Mary Lou door pijn gekliefd, alsof een mes haar van binnenuit opensneed. Ze raakte in de greep van het kloppende gevoel tussen haar benen en schreeuwde zo luid dat het schroeide in haar keel, alsof ze gewurgd werd. Centimeter voor centimeter voelde ze haar vlees uiteenscheuren, voelde ze hoe het van binnenuit opengereten werd.

'Rustig maar,' zei Jasper, en hij stak zijn lelijke handen tussen haar benen. Daar lag ze in al haar naaktheid voor hen, met haar jurk tot boven haar middel opgestroopt, haar natte broekje rond haar knieën. Ze zag een gestalte voor het raam van de kerk. Was dat Stephen? Stond hij naar dit alles te kijken, wilde hij weten wat er gebeurde? Ze riep zijn naam, maar de gestalte trok zich terug.

'Het komt goed,' zei Jasper sussend. Zijn verminkte handen zaten nu in haar en probeerden iets naar buiten te trekken. Voor de laatste keer voelde ze iets scheuren en toen ging de pijn opeens over in een doffe steek, en nu het obstakel was verwijderd, stroomde het bloed naar buiten.

'Lord Jezus,' baden de Mexicanen, in het Engels, alsof ze dat speciaal voor haar deden. Ze namen hun pet af en bogen het hoofd.

Jasper hield een piepklein bundeltje armpjes en beentjes omhoog, alle bevestigd aan een lijfje dat met snelle schokjes op en neer bewoog. Het kind zette het uit alle macht op een krijsen. Zijn kreten waren een beschuldiging, een veroordeling voor de hoer die hem op deze wereld had gezet.

Een van de Mexicanen knielde naast Mary Lou neer en reikte een smerige handdoek aan voor de baby. Voorzichtig nam hij het jongetje in zijn armen en sprak het kirrend toe.

Jasper, die nog steeds naast haar zat, rommelde in zijn gereedschapskist. Ze zag dat hij er een oud, gebutst zakmes uit haalde, en daarmee sneed hij de streng door waarmee Mary Lou aan het kind vastzat. Een van de Mexicanen pakte de streng en bond hem af met een stuk touw. Jasper nam niet eens de moeite het stuk af te binden dat nog aan Mary Lou vastzat. Aan de blik in zijn ogen zag ze dat het bloeden door niets gestelpt kon worden. Haar geest werd tussen haar benen door naar buiten gedreven en alles wat het proces vertraagde, zou alleen maar uitstel van het onvermijdelijke betekenen.

Jaspers grote zwarte hand greep de hare vast en bijna onmerkbaar bewoog hij zijn lippen. De huid op zijn gezicht stond strakker dan ze ooit had gezien en de verkleuring was ook duidelijker dan eerst. Weer werd haar blik naar de onnatuurlijke kleur van zijn lippen getrokken, en op dat moment sloot hij zijn ogen en begon te fluisteren. Ze spande zich tot het uiterste in om te horen wat hij zei, en ze was zo verbaasd door zijn woorden dat ze heel even de pijn vergat. Een plotselinge lichtheid vulde haar borst, en ze voelde de kracht van Jaspers woorden als een zuiverende balsem door zich heen vloeien. Het gebonk van het bloed in haar oren begon af te nemen. Tegelijk met de lucht die ze inademde, zoog ze de woorden van de man in zich op, en ze hield ze net zo lang in haar longen tot die vol genoeg leken om haar weg te kunnen dragen.

'Here God,' zei Jasper met zijn prachtige roze lippen. 'Alstublieft, neem deze vrouw op in Uw huis. Laat Uw licht haar de weg wijzen. Help haar Uw macht en Uw glorie te zien.'

Ze voelde zichzelf al wegglijden, maar toch probeerde Mary Lou hem te bedanken. Ze wilde Jasper laten weten dat zijn woorden haar vrede hadden gebracht. Het kind bleef krijsen en toen ze haar hand naar hem uitstrekte, schuurde de gouden armband over het asfalt. De zon viel op de ketting en verlichtte het gedeelte waar de schakel was gebroken en weer als nieuw was gemaakt.

'Voor hem,' zei ze. Zij was gebroken opdat het kind sterk kon zijn.

'Voor hem,' herhaalde Jasper, en met zijn bloederige handen frunnikte hij aan de sluiting van de armband.

'Nee,' zei ze, maar haar stem was al verdwenen en het woord weerklonk slechts in haar hoofd.

Jasper nam de armband van haar pols en terwijl hij hem naast het jongetje in de deken legde, zei hij tegen Mary Lou: 'Zo zal hij zijn moeder niet vergeten. Dit zal altijd bij hem zijn.'

'Nee,' wilde ze weer zeggen, maar toen keek ze naar het gezichtje van haar zoon en op dat moment was het niet meer belangrijk. Niets was meer belangrijk nu haar zoon in leven was gebleven. Hij had gevochten voor zijn leven, had de wil van zijn moeder getart om de wil van God te eren.

Ja, dacht ze. Hij zou sterk zijn, want de armband zou hem de geboden leren die degenen vóór hem hadden geschonden. Al die bedeltjes zouden tot in lengte van dagen hun verhalen vertellen: de sleutel die tot ijdelheid leidde, de gulzigheid van de aap, de hebzucht van het dollarteken, de jaloerse ballerina, de boze kobold, de begerige tijger en zelfs het kruis, waarvan Mary Lou opeens begreep dat het haar eigen onverschilligheid voorstelde.

Terwijl haar vingers uit de hand van Jasper Goode gleden, voelde Mary Lou een glimlach opkomen. Ze keek op naar de hemel, naar de zwarte zon. Het kind zou goed zijn. Net als Jezus zou het haar zonden wegwassen. Het zou sterk zijn waar het zijn moeder aan kracht had ontbroken. Het zou zich bewust zijn van het geschenk van haar dood, dat hij alleen door het offer van Mary Lou geboren had kunnen worden en telkens opnieuw geboren kon worden. Door haar zwakte zou hij sterk zijn. Op een dag zou hij naar de armband kijken en haar verhaal kennen.

Op een dag zou hij het begrijpen: de zegen van het gebroken zijn.

Uit: *Vervloekt geluk*, Cargo, 2004.

VOORPUBLICATIE

Trouweloos

Verschijnt september 2005

Sara Linton stond bij de voordeur van haar ouderlijk huis en ze hield zoveel plastic boodschappentassen in haar handen dat ze haar vingers niet meer voelde. Met haar elleboog probeerde ze de deur te openen, maar het enige wat er gebeurde, was dat ze met haar schouder tegen de ruit knalde. Ze schuifelde een stukje naar achteren en zette haar voet tegen de kruk, maar nog steeds zat er geen beweging in. Uiteindelijk gaf ze het op en klopte een paar keer met haar voorhoofd tegen de deur.

Achter het geribbelde glas zag ze haar vader door de gang naderen. Met een norse frons, die helemaal niet bij hem paste, deed hij de deur open

'Waarom ben je niet twee keer op en neer gelopen?' vroeg Eddie, terwijl hij een paar tassen van haar overnam.

'Waarom zit de deur op slot?'

'Je auto staat nog geen vijf meter hiervandaan.'

'Pap,' drong Sara aan, 'waarom zit de deur op slot?'

Hij keek langs haar heen. 'Je auto is smerig.' Hij zette de tassen op de vloer en zei: 'Denk je dat je het aankunt, twee keer op en neer naar de keuken met die dingen?'

Sara wilde antwoorden, maar hij liep het trapje aan de voorkant van het huis al af. 'Waar ga je naartoe?' vroeg ze.

'Je auto wassen.'

'Weet je wel hoe koud het is?'

Hij keerde zich om en terwijl hij haar veelbetekenend aankeek, zei hij op een toon die eerder deed denken aan een Shakespeare-acteur dan aan een loodgieter uit een provinciestadje in Georgia: 'Vuil is hardnekkig, ongeacht het seizoen.'

Tegen de tijd dat ze haar antwoord klaar had, was hij al in de garage.

Sara stond nog steeds op de veranda toen haar vader weer naar buiten kwam met alles wat hij nodig had om haar auto te wassen. Hij sjorde de pijpen van zijn trainingsbroek omhoog en ging op zijn hurken zitten om water in de emmer te doen. Sara herkende de broek nog van de middelbare school – van haar eigen middelbare school; ze had hem altijd gedragen tijdens de hardlooptraining.

'Wat dacht je: ik blijf maar staan om de kou erin te laten?' vroeg Cathy, die Sara naar binnen trok en de deur dichtdeed.

Sara boog zich voorover zodat haar moeder haar op haar wang kon kussen. Tot Sara's ontzetting was ze al sinds groep zeven ruim dertig centimeter langer dan haar moeder. Terwijl Tessa, Sara's jongere zus, hun moeders tengere bouw, blonde haar en moeiteloze bevalligheid had geërfd, leek Sara net het kind van de buren dat op een middag was komen eten en had besloten meteen maar te blijven.

Cathy bukte zich al om een stel boodschappentassen te pakken, maar scheen zich opeens te bedenken. 'Neem jij ze maar mee, wil je?'

Sara hees alle acht tassen van de vloer, weer met gevaar voor haar vingers. 'Wat is er aan de hand?' vroeg ze. Haar moeder maakte een wat terneergeslagen indruk, vond ze.

'Isabella,' zei ze, en Sara moest een lachje onderdrukken. Haar tante Bella was de enige persoon die Sara kende die altijd met een eigen voorraadje drank op reis ging.

'Rum?'

'Tequila,' fluisterde Cathy, op dezelfde toon waarop ze 'kanker' zou zeggen.

Meelevend vertrok Sara haar gezicht. 'Heeft ze gezegd hoe lang ze blijft?'

'Nog niet,' antwoordde Cathy. Bella haatte Grant County en was sinds de geboorte van Tessa niet meer op bezoek geweest. Twee dagen geleden was ze verschenen, met drie koffers in de achterbak van haar Mercedes cabriolet maar zonder opgaaf van redenen.

Normaal zou Bella zich niet lang in geheimzinnigheid hebben kunnen hullen, maar nu de familie Linton zich een nieuwe stelregel had eigen gemaakt – 'wie niks vraagt, hoeft ook niks te vertellen' – had niemand op een verklaring aangedrongen. Er was veel veranderd sinds de aanval op Tessa van een jaar geleden. Ze verkeerden allemaal nog steeds in een shock, hoewel niemand er blijkbaar over wilde praten. In een fractie van een seconde had Tessa's aanvaller niet alleen Tessa, maar de hele familie tot in de ziel geraakt. Sara vroeg zich regelmatig af of ook maar een van hen het volledig te boven zou komen.

'Waarom zat de deur op slot?' vroeg Sara.

'Dat zal Tessa wel geweest zijn,' zei Cathy, en heel even trok er een floers voor haar ogen.

'Mama...'

'Ga maar naar binnen,' zei Cathy, met een knik in de richting van de keuken. 'Ik kom zo.'

Sara verplaatste het gewicht van de tassen en liep de gang door, met een vluchtige blik op de foto's aan de muren. Niemand kon van de voordeur naar de achterkant van het huis lopen zonder een beeldoverzicht te krijgen van de jeugdjaren van de zusjes Linton. Op de meeste foto's was Tessa uiteraard een slanke schoonheid. Daar kon Sara niet aan tippen. Er was één buitengewoon afschuwelijke foto bij van Sara op zomerkamp, toen ze in de brugklas zat; ze zou het ding het liefst van de muur hebben gerukt, maar dan kreeg ze het met haar moeder aan de stok. Sara stond in een boot en droeg een badpak dat nog het meest weg had van een stuk zwart knutselpapier dat aan haar knokige schouders zat vastgespeld. Haar neus was bezaaid met sproeten en over haar huid lag een verre van flatteus oranje waas. Haar rode haar was in de zon opgedroogd en leek nog het meest op het afrokapsel van een clown.

'Schat van me!' klonk het dweperig, en Bella spreidde haar armen toen Sara de keuken binnenkwam. 'Kijk toch eens naar je!' zei ze, alsof het als compliment was bedoeld. Sara wist maar al te goed dat ze er niet op haar voordeligst uitzag. Ze was een uur geleden haar bed uit getuimeld en had niet eens de moeite genomen om een kam door haar haar te halen. Als rechtgeaard dochter van haar vader had ze het shirt nog aan waarin ze geslapen had, en de trainingsbroek, die stamde uit de tijd dat ze deel uitmaakte van het universiteitsatletiekteam, was al bijna net zo'n verzamelobject. Bella, daarentegen, droeg een zijdeachtige, soepele blauwe jurk, die waarschijnlijk een vermogen had gekost. In haar oren fonkelden diamanten, en de vele ringen die ze aan haar vingers droeg, glansden in het zonlicht dat door de keukenramen naar binnen stroomde. Zoals gewoonlijk was ze perfect opgemaakt en gekapt, en ook al was het elf uur op een zondagochtend, toch zag ze er betoverend uit.

'Sorry,' zei Sara, 'dat ik niet eerder ben langsgekomen.'

'Het zou wat!' Haar tante maakte een achteloos gebaar en ging zitten. 'Sinds wanneer doe jij de boodschappen voor je moeder?'

'Sinds ze al twee dagen niet van huis kan omdat ze jou moet bezighouden.' Sara zette de tassen op het keuken- blad en wreef over haar vingers om de bloedsomloop weer op gang te brengen.

'Zo'n karwei is het anders niet om mij bezig te hou- den,' zei Bella. 'Je moeder zou er zelf eens meer op uit moeten.'

'Met een fles tequila?'

Bella glimlachte schalks. 'Die heeft nog nooit tegen drank gekund. Ik weet zeker dat dat de enige reden is waarom ze met je vader is getrouwd.'

Sara moest lachen en zette de melk in de koelkast. Haar hart maakte een verheugd sprongetje toen ze een bord zag staan met een grote stapel kippenbouten erop, klaar om gebraden te worden.

'We hebben gisteravond ook nog boontjes schoonge- maakt,' deelde Bella mee.

'Lekker,' mompelde Sara, en ze bedacht dat dat het beste nieuws was dat ze die week had gehoord. Cathy's bonenstoofpot met gebraden kip, een betere combinatie was er niet.

Sara ging verder met uitpakken en vroeg: 'Hoe was het in de kerk?'

'Iets te veel hel en verdoemenis naar mijn smaak,' moest Bella bekennen, en ze pakte een sinaasappel van de schaal op tafel. 'Vertel eens hoe het ermee staat. Nog wat interessants meegemaakt?'

'Alles gaat zijn gewone gangetje,' zei Sara terwijl ze de blikjes sorteerde.

Bella pelde de sinaasappel en zei met enige teleurstelling in haar stem: 'Nou ja, routine kan ook iets troostends hebben.'

'Hm,' bromde Sara, en ze zette een blik met soep op de plank boven het fornuis.

'Heus.'

'Hm,' klonk het nogmaals, want Sara wist precies waar dit op uit zou draaien.

Toen Sara medicijnen studeerde aan Emory University in Atlanta had ze korte tijd bij haar tante Bella ingewoond. De feestjes tot diep in de nacht, het gezuip en de niet-aflatende stroom mannen hadden ten slotte tot een breuk geleid. Sara stond elke ochtend vroeg op om naar college te gaan, om nog maar te zwijgen van het feit dat ze 's avonds rust om zich heen moest hebben om te kunnen studeren. Nu had Bella inderdaad een poging gedaan om haar sociale leven wat aan banden te leggen, maar uiteindelijk waren ze het erover eens geworden dat Sara beter een eigen onderkomen kon zoeken. Hun relatie bekoelde pas toen Bella aan Sara voorstelde om eens een kijkje te gaan nemen in het bejaardenhuis aan Clairmont Road.

Cathy verscheen in de keuken, haar handen afvegend aan haar schort. Ze verplaatste het soepblik dat Sara net op de plank had gezet en duwde haar daarbij aan de kant. 'Heb je alles meegenomen wat op het lijstje stond?'

'Alles behalve de keukensherry,' zei Sara, die nu tegenover Bella ging zitten. 'Wist je dat je op zondag geen alcohol kunt kopen?'

'Ja, dat wist ik,' zei Cathy, en het klonk als een verwijt. 'Daarom zei ik ook dat je gisteravond boodschappen moest doen.'

'Sorry,' zei Sara. Ze nam een sinaasappelpartje van haar tante aan. 'Ik heb tot acht uur met een verzekeringsmaatschappij uit het westen zitten onderhandelen. Het was het enige moment dat daar tijd voor was.'

'Je bent arts,' zei Bella, alsof ze iets nieuws vertelde. 'Waarom moet je in godsnaam met verzekeringsmaatschappijen overleggen?'

'Omdat ze weigeren te betalen voor de tests die ik laat uitvoeren.'

'Dat is toch hun werk?'

Sara haalde haar schouders op. Ze was uiteindelijk gezwicht en had fulltime een vrouw in dienst genomen om de hindernissen te nemen die de verzekeringsmaatschappijen voor haar opwierpen, maar niettemin zat ze nog steeds dagelijks twee tot drie uur van haar tijd in de kinderkliniek te verdoen met het invullen van saaie formulieren of anders was ze wel met verzekeringscontroleurs aan het bellen, en dan nam ze niet altijd een blad voor haar mond. Ze ging nu al een uur eerder naar haar werk om niet achterop te raken, maar wat ze ook deed, veel schoot ze er niet mee op.

'Belachelijk,' mompelde Bella terwijl ze op een partje sabbelde. Ze was al een aardig eind in de zestig, maar voorzover Sara wist, was ze nog nooit in haar leven een dag ziek geweest. Misschien viel er toch iets te zeggen voor kettingroken en tot in de kleine uurtjes tequila hijsen.

Cathy rommelde in de tassen en vroeg: 'Heb je salie meegenomen?'

'Ik geloof het wel.' Sara kwam overeind om haar te helpen zoeken, maar Cathy joeg haar weg. 'Waar is Tess?'

'Naar de kerk,' antwoordde Cathy. Het klonk misprijzend, maar Sara was zo verstandig er niet op in te gaan. Dat gold blijkbaar eveneens voor Bella, ook al trok die een wenkbrauw op toen ze Sara een tweede partje aanbood. De Primitive Baptist – de kerk die Cathy had bezocht sinds Bella en zij kinderen waren – hield Tessa tegenwoordig voor gezien en nu zocht ze haar geestelijk heil bij een kleinere kerk in een aangrenzend district. Cathy was niet het soort moeder dat zich iets dergelijks persoonlijk aan zou trekken, en onder normale omstandigheden zou ze blij zijn geweest dat in elk geval een van haar dochters geen goddeloze heiden was, maar blijkbaar was er iets met Tessa's keuze wat haar dwarszat. Zoals zo vaak de laatste tijd stelde niemand het echter ter discussie.

Cathy deed de koelkast open, schoof de melk naar de andere kant van het vak en vroeg: 'Hoe laat was je thuis gisteravond?'

'Uur of negen,' zei Sara, die een tweede sinaasappel begon te pellen.

'We gaan straks lunchen, bederf je eetlust nou niet,' zei Cathy berispend. 'Heeft Jeffrey zijn spullen al overgebracht?'

'Bijn...' Sara hield zich op het nippertje in, maar de vlammen sloegen van haar gezicht. Ze slikte een paar keer voor ze weer kon praten. 'Hoe weet je dat?'

'O, liefje,' gniffelde Bella. 'Je moet echt verhuizen als je wilt dat niemand zich met je zaken bemoeit. Dat is de voornaamste reden waarom ik naar het buitenland ben vertrokken zodra ik geld had voor een ticket.'

'Liever gezegd: zodra je een vent had die het wilde betalen,' voegde Cathy er spottend aan toe.

Weer schraapte Sara haar keel. Haar tong voelde wel twee keer zo dik. 'Weet papa ervan?'

Cathy trok een wenkbrauw op, net als haar zus daarvoor had gedaan. 'Wat denk je?'

Sara ademde diep in en liet de lucht sissend tussen haar tanden ontsnappen. Opeens snapte ze die opmerking van haar vader, over vuil dat hardnekkig is. 'Is hij kwaad?'

'Valt wel mee,' gaf Cathy toe. 'Hij is vooral teleurgesteld.'

'Tss,' siste Bella met haar tong tegen haar tanden. 'Bekrompen stadjes, bekrompen geesten.'

'Het ligt niet aan de stad,' wierp Cathy tegen. 'Het ligt aan Eddie zelf.'

Bella ging er eens goed voor zitten en stak van wal. 'Ik heb ooit met een jongen in zonde geleefd. Ik had mijn studie nog maar net afgemaakt, was nog maar net naar Londen vertrokken. Hij was lasser, maar die handen... oh, hij had de handen van een kunstenaar. Heb ik je wel eens verteld...'

'Ja, Bella,' zei Cathy op een verveeld toontje. Bella was haar tijd altijd vooruit geweest: eerst als beatnik, toen als hippie en later als strikte vegetariër. Tot haar grote ergernis was ze er nooit in geslaagd haar familie te choqueren. Sara was ervan overtuigd dat haar tante het land onder andere had verlaten om tegen iedereen te kunnen zeggen dat ze het zwarte schaap van de familie was. In Grant stonk niemand er in. Oma Earnshaw, die voor het vrouwenkiesrecht had gestreden, was trots geweest op het lef van haar dochter, en Big Daddy had Bella tegenover iedereen die het wilde horen altijd zijn 'zevenklappertje' genoemd. De enige keer dat het Bella was gelukt de schande van de familie over zich uit te roepen, was toen ze aankondigde te gaan trouwen met een effectenmakelaar genaamd Cletus, met wie ze in een buitenwijk zou gaan wonen. Godzijdank had dat huwelijk maar een jaar standgehouden.

Sara voelde haar moeders borende blik, heet als een laserstraal. Uiteindelijk gaf ze haar verzet op en vroeg: 'Wat is er?'

'Ik snap niet waarom je niet gewoon met hem trouwt.'

Sara draaide aan de ring rond haar vinger. Jeffrey had football gespeeld voor Auburn University, en als een smoorverliefde puber droeg ze tegenwoordig altijd zijn jaarring.

Bella verwoordde wat iedereen al wist, maar zoals zij het zei, klonk het zeer aanlokkelijk: 'Je vader kan hem niet uitstaan.'

Cathy sloeg haar armen voor haar borst. 'Waarom niet?' vroeg ze nogmaals aan Sara. Ze wachtte een paar tellen. 'Waarom trouw je niet gewoon met hem? Híj wil wel, of niet soms?'

'Ja.'

'Zeg dan gewoon ja, dan heb je het maar weer gehad.'

'Het ligt wat ingewikkelder,' antwoordde Sara, en ze hoopte dat ze het daarbij kon laten. Beide vrouwen kenden de geschiedenis die ze met Jeffrey deelde, van het moment dat ze verliefd op hem werd tot hun huwelijk en tot de avond dat Sara vroeg thuiskwam van haar werk en hem in bed aantrof met een andere vrouw. De volgende dag had ze de scheiding aangevraagd, maar om een of andere reden was Sara niet in staat om zich van hem los te maken.

Het moest gezegd worden dat Jeffrey de afgelopen vijf jaar wel veranderd was. Hij was tot de man uitgegroeid die ze bijna vijftien jaar geleden al in hem had vermoed. De liefde die ze nu voor hem voelde, was nieuw, in zeker opzicht nog opwindender dan de eerste keer. Die duize-lingwekkende bezetenheid van toen – dat gevoel van ik-ga-dood-als-hij-me-niet-belt – was verdwenen. Ze voel-de zich nu bij hem op haar gemak. Als het eropaan kwam, wist ze, kon ze op hem rekenen. Ook wist ze, na-dat ze vijf jaar op zichzelf had gewoond, dat ze zich el-lendig voelde zonder hem.

'Je bent veel te trots,' zei Cathy. 'Als het een kwestie van je ego is...'

'Het is mijn ego niet,' onderbrak Sara haar. Ze wist niet hoe ze haar gedrag moest uitleggen en kon het al hele-maal niet verkroppen dat ze zich daartoe wel verplicht voelde. Hoe was het toch mogelijk dat haar relatie met Jeffrey het enige was waarover haar moeder nog ont-spannen kon praten?

Sara liep naar de gootsteen om het sinaasappelsap van haar handen te wassen. In een poging het gesprek een andere richting op te sturen, vroeg ze aan Bella: 'Hoe was het in Frankrijk?'

'Frans,' was Bella's reactie, maar zo makkelijk kwam Sara er niet van af. 'Vertrouw je hem eigenlijk wel?'

'Ja,' zei ze, en ze voegde eraan toe: 'Meer dan de eerste keer, en daarom heb ik ook geen papiertje nodig om te weten hoe ik me voel.'

De zelfingenomenheid droop ervan af toen Bella zei: 'Ik wist wel dat jullie weer bij elkaar zouden komen.' Ze richtte haar vinger op Sara. 'Als je je die eerste keer echt van hem had willen losmaken, zou je dat lijkschouwersbaantje eraan hebben gegeven.'

'Dat is maar parttime,' zei Sara, hoewel ze wist dat Bella niet helemaal ongelijk had. Jeffrey was hoofd van de politie in Grant County. Sara bekleedde de functie van patholoog-anatoom. Bij elk verdacht sterfgeval in een van de drie steden die het gebied besloeg, was hij weer in haar leven verschenen.

Cathy pakte de laatste boodschappentas en haalde er een literfles cola uit. 'Wanneer was je van plan het ons te vertellen?'

'Vandaag,' loog Sara. Uit de blik die Cathy haar over haar schouder toewierp, maakte ze op dat het leugentje niet buitengewoon geslaagd was. 'Uiteindelijk,' verbeterde Sara zichzelf, en terwijl ze haar handen droogwreef aan haar broek, ging ze weer aan tafel zitten. 'Eten jullie morgen braadstuk?'

'Ja,' was Cathy's antwoord, maar ze liet zich niet van haar koers afbrengen. 'Je woont nog geen anderhalve kilometer van ons vandaan, Sara. Dacht je nou echt dat je vader Jeffreys auto niet elke ochtend op je oprit zou zien staan?'

'Van wat ik gehoord heb,' zei Bella, 'zou die er toch wel staan, of hij nou bij haar intrekt of niet.'

Sara keek toe terwijl haar moeder een liter cola in een grote plastic kom goot. Ze zou er wat ingrediënten aan toevoegen, het vlees er een nacht in laten marineren en het dan de hele volgende dag in een aardewerken pot laten sudderen. Het eindresultaat was het malste stuk vlees dat ooit met een bord in aanraking was gekomen, en ook al leek het zo simpel, Sara was er nog nooit in geslaagd het haar moeder na te doen. Ze werd weer eens met haar neus op het feit gedrukt dat ze tijdens haar studie aan een van de zwaarste medische faculteiten in het land een kei in scheikunde was geweest, en toch niet in staat was, al hing haar leven ervan af, om haar moeders colabraadstuk te bereiden.

In gedachten verzonken deed Cathy nog wat kruiden in de kom en toen herhaalde ze haar vraag: 'Wanneer was je van plan het ons te vertellen?'

'Ik weet het niet,' zei Sara. 'We wilden eerst zelf aan het idee wennen.'

'Dat zie ik je vader nog niet zo snel doen,' meende Cathy. 'Je weet toch dat hij er strikte ideeën op na houdt als het om dat soort zaken gaat?'

Bella begon luid te lachen. 'En dat terwijl hij al in geen veertig jaar een stap in de kerk heeft gezet.'

'Het heeft bij hem niks met religie te maken,' verduidelijkte Cathy. Ze zei tegen Sara: 'We weten beiden nog veel te goed hoe hard het bij je aankwam toen je ontdekte dat Jeffrey aan het rotzooien was. Voor je vader is het onverteerbaar om eerst mee te maken hoe kapot je was en dan te zien hoe Jeffrey je leven weer binnen komt walsen.'

'Ik zou het bepaald geen walsje noemen,' zei Sara. Hun verzoening was in geen enkel opzicht over rozen gegaan.

'Ik weet zo net nog niet of je vader hem ooit zal vergeven.'

'Eddie heeft jou toen wel vergeven,' merkte Bella fijntjes op.

Sara zag alle kleur uit haar moeders gezicht wegtrekken. Met strakke, beheerste gebaren veegde Cathy haar handen af aan haar schort. Zachtjes zei ze: 'Nog een paar uur, dan gaan we lunchen,' en toen liep ze de keuken uit.

Bella trok haar schouders op en slaakte een diepe zucht. 'Ik heb mijn best gedaan, snoes.'

Sara verbeet zich. Een paar jaar geleden had Cathy Sara verteld over een 'misstap', zoals zij het noemde, die ze tijdens haar huwelijk had begaan, nog voor Sara was geboren. Hoewel haar moeder zei dat ze nooit met die ander naar bed was geweest, was het bijna op een scheiding uitgelopen. Sara kon zich voorstellen dat haar moeder liever niet aan deze donkere periode uit haar verleden herinnerd werd, vooral niet waar haar oudste dochter bij was. Sara vond het zelf ook niet prettig om te horen.

'Hallo?' hoorde ze Jeffrey vanuit de vestibule.

Sara probeerde haar opluchting te verbergen. 'We zitten hier!' riep ze terug.

Hij kwam binnen met een glimlach op zijn gezicht, en Sara concludeerde dat haar vader te druk was geweest met het wassen van haar auto om het Jeffrey lastig te maken.

'Kijk kijk,' zei hij en waarderend liet hij zijn blik van de ene vrouw naar de andere gaan. 'Als ik hierover droom, zijn we meestal allemaal naakt.'

'Jij ouwe rakker,' zei Bella vermanend, maar Sara zag haar ogen fonkelen van plezier. Ook al had ze jaren in Europa gewoond, ze was nog steeds op en top de belle uit het zuiden.

Jeffrey nam haar hand en drukte er een kus op. 'Telkens als ik je zie, ben je weer mooier geworden, Isabella.'

'Goede wijn behoeft geen krans, vriend,' zei Bella met een knipoog. 'Maar je moet hem wel drinken!'

Jeffrey lachte en pas toen iedereen weer wat bedaard was, vroeg Sara: 'Heb je mijn vader nog gezien?'

Jeffrey schudde zijn hoofd en op dat moment sloeg de voordeur met een klap dicht. Eddies voetstappen dreunden door de gang.

Sara greep Jeffreys hand. 'Laten we een stukje gaan wandelen,' zei ze, en ze sleurde hem bijna de deur door. 'Wil je tegen mama zeggen dat we op tijd terug zijn voor de lunch?' vroeg ze aan Bella.

Ze trok een strompelende Jeffrey het trapje van de veranda af en vervolgens naar de zijkant van het huis, uit het zicht van de keukenramen.

'Wat is er aan de hand?' Hij wreef over zijn arm alsof hij daar pijn had.

'Is het nog steeds gevoelig?' vroeg ze. Een tijdje terug had hij zijn schouder geblesseerd en ondanks de fysiotherapie was het gewricht nog steeds pijnlijk.

Zonder al te veel overtuiging haalde hij zijn schouders op 'Nee hoor, nergens last van.'

'Sorry,' zei ze en ze legde haar hand op zijn goede schouder. Maar daar kon ze het niet bij laten: ze sloeg haar armen om hem heen en begroef haar gezicht in de welving van zijn hals. Ze snoof zijn lucht diep op, zo lekker vond ze hem ruiken. 'Jezus, wat heerlijk om je weer eens te voelen.'

Hij streelde haar haar. 'Wat heb je?'

'Ik mis je.'

'Ik ben er nu toch?'

'Nee.' Ze leunde naar achteren, zodat ze hem beter kon zien. 'Ik heb je deze week gemist.' Zijn haar werd weer lang aan de zijkant en met haar vingers schoof ze het achter zijn oren. 'Je komt binnenvallen, dumpt een paar dozen en dan ben je weer weg.'

'De huurders komen dinsdag al. Ik heb tegen ze gezegd dat ik de keuken dan klaar zou hebben.'

Ze drukte een kus op zijn oor en fluisterde: 'Ik was helemaal vergeten hoe je eruitziet.'

'Het is de laatste tijd ook zo druk op het werk.' Hij week iets terug. 'Al die papiertroep en zo. Reken daar het huis nog bij en er blijft helemaal geen tijd voor mezelf over, laat staan voor jou.'

'Dat is het niet,' zei ze, en ze verbaasde zich over zijn defensieve toon. Ze werkten allebei te hard; ze verkeerde nauwelijks in een positie om hem iets te verwijten.

Hij deed weer een stap naar achteren en zei: 'Ik weet dat ik je een paar keer niet heb teruggebeld.'

'Jeff,' onderbrak ze hem. 'Ik ben er gewoon van uitge-gaan dat je het druk had. Daar gaat het helemaal niet om.'

'Waar gaat het dan wel om?'

Sara sloeg haar armen over elkaar en voelde zich op-eens verkillen. 'Mijn vader weet het.'

Het leek wel of hij zich wat ontspande, dacht ze, en ze vroeg zich af of hij iets anders had verwacht.

'Je dacht toch niet dat we het geheim konden houden, hè?' vroeg hij.

'Eigenlijk niet, nee,' gaf Sara toe. Ze zag dat hij ergens mee zat, maar ze wist niet goed hoe ze hem aan het pra-ten moest krijgen. 'Laten we een stukje langs het meer lo-pen,' stelde ze voor. 'Akkoord?'

Hij keek even naar het huis, toen naar haar, en zei: 'Oké.'

Ze voerde hem mee door de achtertuin en nam toen het stenen pad naar de oever dat haar vader al voor haar geboorte had aangelegd. Ontspannen zwijgend wandel-den ze vervolgens hand in hand over het zandpad dat langs de oever liep. Ze gleed uit op een glibberig stuk rots en hij greep haar bij haar elleboog, glimlachend omdat ze zo'n kluns was. Boven hun hoofden hoorde Sara het gekwebbel van eekhoorns, en een grote buizerd scheerde met een boog over de boomtoppen, zijn vleugels schrap tegen de bries die van het water kwam.

Lake Grant was een door mensenhand aangelegd meer van dertienhonderd hectare. Op sommige plekken was het wel negentig meter diep. De toppen van de bomen die in het dal hadden gestaan voor het onder water werd gezet, staken nog steeds boven het oppervlak uit en Sara moest vaak denken aan de verlaten huizen daar op de bodem, en dan vroeg ze zich af of er nu vissen in woonden. Eddie bezat een foto van vóór de aanleg van het meer. Het gebied leek op de landelijker delen van het district: mooie huisjes van één verdieping en met een veranda, en hier en daar een blokhut. Onder het wateroppervlak stonden winkels en kerken, en een katoenfabriek die de Burgeroorlog en de Reconstructie had overleefd, maar tijdens de crisisjaren haar poorten moest sluiten. Dat alles werd weggevaagd door het donderende watergeweld uit de Ochawahee River, alleen om Grant van een betrouwbare energiebron te voorzien. In de zomer daalde en steeg het peil, afhankelijk van de hoeveelheid water die nodig was voor de dam, en als kind deed Sara vaak alle lampen in het huis uit, want ze meende dat het water in het meer dan hoog genoeg zou blijven om erop te kunnen waterskiën.

Het mooiste stuk meer was eigendom van Nationaal Bosbeheer: zo'n vierhonderd hectare, als een kap rond de oever geplooid. Aan één kant grensde het aan het woongebied, waar Sara's huis en dat van haar ouders stonden, en aan de andere kant vormde het een barrière voor de Hogeschool van Grant. Zestig procent van de honderdtwintig kilometer lange oever was beschermd gebied, en daar bevond zich ook Sara's lievelingsplek. Kampeerders mochten hun tenten in het bos opslaan en net zo lang blijven als ze het uithielden, maar het rotsachtige terrein vlak bij de oever was te hard en te steil voor enige vorm van recreatie. Wel kwamen er regelmatig tieners, om een potje te vrijen of om een tijdje van hun ouders verlost te zijn. Sara's huis stond pal tegenover een spectaculaire rotsformatie, die waarschijnlijk nog door de indianen was gebruikt voor ze uit het gebied werden verdreven, en soms, in de schemering, zag ze een lucifer opvlammen als iemand een sigaret of iets anders opstak.

Van het water kwam een kille wind opzetten en ze huiverde. Jeffrey sloeg zijn arm om haar heen en vroeg: 'Dacht je nou echt dat ze er niet achter zouden komen?'

Sara bleef staan en keerde zich naar hem toe. 'Dat hoopte ik, geloof ik.'

Hij schonk haar het scheve glimlachje waarop hij het patent had, en ze wist uit ervaring dat hij zich nu ging verontschuldigen. 'Het spijt me dat ik de laatste tijd voortdurend moest werken.'

'Zelf was ik deze week ook geen avond voor zeven uur thuis.'

'Heb je die zaak met de verzekeringsmaatschappij nog rond gekregen?'

Ze kreunde. 'Zullen we het ergens anders over hebben?'

'Oké,' zei hij. Hij deed een poging een ander onderwerp aan te snijden. 'Hoe gaat het met Tess?'

'Zullen we het daar ook maar niet over hebben?'

'Oké...' Weer die glimlach. Het zonlicht viel op zijn blauwe irissen, en er ging een rilling door Sara heen.

Hij vatte haar reactie verkeerd op en vroeg: 'Wil je liever terug?'

'Nee,' zei ze, en ze sloeg haar handen om zijn nek. 'Sleur me maar mee naar die bomen daar en dan mag je me nemen als een beest.'

Zijn lach verstomde toen hij zag dat het geen grapje was. 'Hier, waar iedereen ons kan zien?'

'Er is niemand in de buurt.'

'Je meent het niet, hè?'

'Het is al twee weken geleden,' zei ze, hoewel ze het nu pas goed tot zich liet doordringen. Het was niks voor hem om de zaken zo lang op hun beloop te laten.

'Het is koud,' zei hij.

Ze drukte haar lippen tegen zijn oor en fluisterde: 'Maar in mijn mond is het warm.'

'Ik ben eigenlijk te moe,' zei hij, ook al sprak zijn lichaam andere taal.

Ze drukte zich dichter tegen hem aan. 'Op mij maak je anders geen vermoeide indruk.'

'Het kan elk moment gaan regenen.'

De lucht was betrokken, maar Sara had op het nieuws gehoord dat de regen nog wel een uur of drie op zich zou laten wachten. 'Kom op,' zei ze. Ze boog zich naar hem toe en wilde hem kussen, maar stopte toen ze zijn aarzeling zag. 'Wat is er?'

Hij deed een stap naar achteren en keek naar het meer. 'Ik zei toch dat ik moe was.'

'Je bent anders nooit moe,' zei ze, en nu wist ze zeker dat er iets aan de hand was. 'Niet hiervoor tenminste.'

Hij gebaarde in de richting van het meer. 'Het is ijskoud hier buiten.'

'Zo koud is het echt niet,' zei ze, maar inmiddels trok

achterdocht een angstspoor langs haar ruggengraat. Na vijftien jaar was Jeffrey een open boek voor haar. Hij peuterde aan de nagel van zijn duim als hij zich schuldig voelde, en hij plukte aan zijn rechterwenkbrauw als hij over een zaak zat te dubben. Na een bijzonder zware dag liet hij zijn schouders altijd hangen en sprak met monotone stem, tot ze hem zover kreeg dat hij zijn hart luchtte. De trek die hij nu om zijn mond had, duidde erop dat hij haar iets moest vertellen, maar dat liever niet deed of niet wist hoe hij het aan moest pakken.

Ze kruiste haar armen en vroeg: 'Wat heb je?'

'Niks.'

'Niks?' herhaalde ze, en ze staarde Jeffrey aan alsof ze met pure wilskracht de waarheid uit hem kon trekken. Zijn lippen waren nog steeds een strakke streep, hij hield zijn handen verstrengeld vóór zich en wreef met zijn rechterduim over de nagelriem van de linker. Het werd haar steeds duidelijker dat ze dit al eens eerder hadden meegemaakt en toen kwam het besef, als een mokerslag. 'O, jezus,' fluisterde ze. Opeens ging haar een licht op. 'O, god,' zei ze en ze legde haar hand op haar buik in een poging de opkomende misselijkheid te onderdrukken.

'Wat?'

Ze liep het pad af. Ze voelde zich dom en tegelijkertijd was ze kwaad op zichzelf. Het duizelde haar, de gedachten tolden door haar hoofd.

'Sara...' Hij legde zijn hand op haar arm, maar ze rukte zich los. Hij draafde een stukje verder en ging voor haar staan zodat ze hem in de ogen moest kijken. 'Wat is er aan de hand?'

Het enige wat ze kon zeggen, was: 'Wie is het?'

Hij keek haar beduusd aan. 'Wie is wat?'

'Wie is ze?' verduidelijkte Sara. 'Wie is het, Jeffrey? Is het dezelfde van toen?' Ze klemde haar kiezen zo stijf op elkaar dat haar kaken er pijn van deden. Het klopte allemaal: de afwezige blik in zijn ogen, de afwerende houding, de kloof die hen scheidde. Hij was deze week elke avond met een smoesje aangekomen om maar niet bij haar te hoeven slapen: hij moest dozen inpakken, hij moest tot laat doorwerken op het bureau, die stomme keuken die hij al tien jaar aan het opknappen was, moest nu eindelijk af. Telkens als ze hem toeliet, telkens als ze haar achterdocht liet varen en zich ontspande, bedacht hij weer een manier om haar van zich af te duwen.

'Met wie lig je nu weer te neuken?' vroeg Sara op de man af.

Hij zette een stap naar achteren en verwarring trok over zijn gezicht. 'Je denkt toch niet...'

Ze voelde de tranen opwellen en sloeg haar handen voor haar ogen om ze voor hem te verbergen. Hij mocht eens denken dat ze gekwetst was, terwijl ze in werkelijkheid zo razend was dat ze met haar blote handen zijn strot uit zijn keel zou kunnen scheuren. 'God,' fluisterde ze. 'Wat ben ik een stomme koe.'

'Hoe kun je dat nou denken?' vroeg hij, en het klonk verongelijkt.

Ze liet haar handen zakken; het maakte haar niet langer uit wat hij zag. 'Doe me een lol, oké? Lieg deze keer niet tegen me. Waag het niet nog één keer tegen me te liegen.'

'Ik lieg ook helemaal niet tegen je,' zei hij met klem, en naar zijn stem te oordelen was hij even woedend als zij. Het zou meer indruk op haar gemaakt hebben als hij die toon niet al eens eerder op haar had uitgeprobeerd.

'Sara...'

'Laat me met rust,' zei ze en ze liep in de richting van het meer. 'Het is toch niet te geloven. Hoe stom kan een mens zijn?'

'Ik ga niet vreemd,' zei hij, achter haar aan lopend. 'Luister nou eens naar me.' Hij ging voor haar staan en versperde haar de doorgang. 'Ik ga echt niet vreemd.'

Ze bleef staan en staarde hem aan. Kon ze hem maar geloven.

'Kijk me niet zo aan,' zei hij.

'Ik zou niet weten hoe ik je anders aan moet kijken.'

Hij slaakte een diepe zucht, alsof er een enorm gewicht op zijn borstkas drukte. Voor iemand die beweerde onschuldig te zijn, gedroeg hij zich buitengewoon betrapt.

'Ik ga terug,' liet ze hem weten, maar toen keek hij op en bij het zien van de blik in zijn ogen bleef ze verschrikt staan.

Hij sprak zo zacht dat ze hem slechts met moeite kon verstaan. 'Ik ben misschien ziek.'

'Ziek?' herhaalde ze, en opeens werd ze door paniek bevangen. 'Hoezo ziek?'

Hij liep een stukje terug en ging op een rotsblok zitten, met hangende schouders. Nu was het Sara's beurt naar hem toe te gaan.

'Jeff?' vroeg ze, en ze knielde naast hem neer. 'Wat is er aan de hand?' Weer stonden de tranen in haar ogen, maar deze keer sloeg haar hart over van angst in plaats van woede.

Van alle dingen die hij had kunnen zeggen, had niets haar zo diep kunnen treffen als de woorden die nu zijn mond verlieten. 'Jo heeft gebeld.'

Sara ging op haar hurken zitten. Ze vouwde haar handen samen in haar schoot, sloeg haar blik neer en staarde naar één punt. Op de middelbare school was Jolene Carter alles geweest wat Sara niet was: sierlijk, slank en toch welgevormd, het populairste meisje van de school, dat de populaire jongens voor het kiezen had. Ze was de koningin van het bal, de aanvoerster van de cheerleaders, de klassenvertegenwoordigster van de eindexamenleerlingen. Ze was van nature blond en had blauwe ogen; op haar rechterwang zat een schoonheidsvlekje dat aan haar verder volmaakte gezicht iets mondains en exotisch gaf. Zelfs toen ze de veertig naderde, had Jolene Carter nog altijd een perfect lijf – Sara wist dit omdat ze vijf jaar geleden was thuisgekomen en Jo daar spiernaakt had aangetroffen, met haar perfecte kont in de lucht.

'Ze heeft hepatitis,' zei Jeffrey.

Sara zou in lachen zijn uitgebarsten als ze er de energie voor had gehad. Het enige wat ze er nu kon uitbrengen was: 'Welke soort?'

'De erge soort.'

'Er zijn een paar erge soorten,' deelde Sara hem mee, en ondertussen vroeg ze zich verbijsterd af hoe ze hier verzeild was geraakt.

'Ik ben sindsdien nooit meer met haar naar bed geweest. Dat weet je toch, Sara?'

Een paar tellen lang keek ze hem aan, in tweestrijd, want aan de ene kant wilde ze het het liefst op een lopen zetten, terwijl ze aan de andere kant wilde blijven om alle details te horen. 'Wanneer heeft ze je gebeld?'

'Vorige week.'

'Vorige week,' herhaalde ze, en na nog eens diep ingeademd te hebben, vroeg ze: 'Welke dag?'

'Weet ik niet meer. Het begin van de week.'

'Maandag? Dinsdag?'

'Wat doet dat ertoe?'

'Wat doet dat ertoe?' bauwde ze hem na, haar blik een en al ongeloof. 'Ik ben kinderarts, Jeffrey. Ik geef kinderen – kleine kinderen – aan de lopende band injecties. Ik neem ze bloed af. Ik raak met mijn vingers hun schaafwonden en sneetjes aan. Natuurlijk neem je voorzorgsmaatregelen. Er zijn allerlei soorten...' Haar stem stierf weg, en ze vroeg zich af hoeveel kinderen ze aan besmetting had blootgesteld, ze probeerde zich elke spuit, elke prik te herinneren. Had ze wel voorzichtig genoeg gehandeld? Ze prikte zichzelf voortdurend aan naalden, dat hoorde nou eenmaal bij het vak.

'Ik ben gisteren bij Hare geweest,' zei hij, alsof het feit dat hij een week na de onheilstijding een bezoek aan de dokter had gebracht hem op een of andere manier vrijpleitte.

Ze klemde haar lippen opeen en probeerde de juiste vragen te formuleren. Haar eerste zorg was voor haar patiëntjes, maar nu drongen de verdere implicaties in volle omvang tot haar door. Misschien was ze zelf ook ziek. Het was heel goed mogelijk dat Jeffrey een of andere chronische, wellicht dodelijke kwaal op haar had overgedragen.

Sara slikte en probeerde iets te zeggen, ook al zat haar keel dichtgesnoerd. 'Zet hij wat vaart achter die test?'

'Ik weet het niet.'

'Je weet het niet,' herhaalde ze zijn woorden, zonder er een vraagteken bij te plaatsen. Natuurlijk wist hij het niet. Jeffrey leed aan het typisch mannelijke ontkenningssyndroom waar het zijn eigen gezondheid betrof.

Hij kon je meer vertellen over de onderhoudsgeschiedenis van zijn auto dan over zijn eigen welzijn. Ze zag hem al in Hares spreekkamer zitten, een wezenloze blik in zijn ogen terwijl hij een smoes probeerde te verzinnen om zo snel mogelijk zijn hielen te kunnen lichten.

Sara kwam overeind. Ze kon niet langer stil blijven zitten. 'Heeft hij je onderzocht?'

'Hij zei dat ik geen symptomen had.'

'Ik wil dat je naar een andere arts gaat.'

'Wat is er mis met Hare?'

'Hij...' Ze zocht naar woorden. Even werd het haar te veel.

'Dat hij toevallig jouw maffe neefje is, wil nog niet zeggen dat hij geen goed arts is.'

'Hij heeft me er niks over verteld,' zei ze, en ze voelde zich door hen beiden verraden.

Jeffrey keek haar behoedzaam aan. 'Ik heb hem gevraagd of hij dat niet wilde doen.'

'Natuurlijk heb je dat gevraagd,' zei ze, eerder overdonderd dan woedend. 'Waarom heb je het mij niet verteld? Waarom heb je mij niet meegenomen zodat ik de goede vragen kon stellen?'

'Hierom,' zei hij, doelend op haar geijsbeer. 'Je hebt al genoeg aan je hoofd. Ik wilde je niet laten schrikken.'

'Allemaal gezeik en dat weet je best.' Jeffrey vond het altijd vreselijk om met slecht nieuws te komen. Hoe keihard hij tijdens zijn werk ook moest zijn, thuis ging hij het geringste probleem nog uit de weg. 'Heb je daarom geen zin meer in seks?'

'Dat was uit voorzorg.'

'Voorzorg,' zei ze smalend.

'Volgens Hare zou ik wel eens drager kunnen zijn.'

'Je was gewoon te bang om het me te vertellen.'

'Ik wilde je niet ongerust maken.'

'Je wilde geen ruzie met me, zul je bedoelen,' corrigeerde ze hem. 'Met het sparen van mijn gevoelens heeft dit niks te maken. Je was bang dat ik kwaad op je zou worden.'

'Ophouden, alsjeblieft.' Hij wilde haar hand pakken, maar die rukte ze weg. 'Ik kan het toch niet helpen?' Hij deed een nieuwe poging: 'Het is alweer jaren geleden, Sara. Ze moest het me vertellen van haar arts.' Alsof dat de zaak minder erg maakte, zei hij: 'Ze is ook patiënt van Hare. Bel hem maar. Hij vond dat ik het moest weten. Het is gewoon uit voorzorg. Je bent zelf arts. Jij snapt dat toch wel?'

'Kappen,' zei ze, en ze hief haar handen. De woorden lagen op het puntje van haar tong, maar ze vocht om ze binnen te houden. 'Ik kan er nu niet over praten.'

'Waar ga je naartoe?'

'Weet ik niet,' zei ze. Ze zette koers naar de oever van het meer. 'Naar huis,' liet ze hem weten. 'Slaap jij vannacht maar in je eigen huis.'

'Zie je wel,' zei hij, alsof hij zijn gelijk wilde halen. 'Dat is nou precies waarom ik het je niet verteld heb.'

'Wel ja, geef mij maar de schuld!' beet ze hem toe, en ze perste de woorden uit haar dichtgeklemde keel. Ze wilde het uitschreeuwen, maar ze barstte van woede en kon haar stem niet eens verheffen. 'Ik ben niet kwaad op je omdat je ooit vreemd bent gegaan, Jeffrey. Ik ben kwaad op je omdat je dit voor me verzwegen hebt. Ik heb er recht op het te weten. Ook al zou dit geen enkel gevaar opleveren voor mij of mijn gezondheid of die van mijn patiënten, dan loop jij nog altijd risico.'

Hij ging op een drafje over om haar bij te kunnen houden. 'Ik voel me anders prima.'

Ze bleef staan en keerde zich naar hem toe. 'Weet je eigenlijk wel wat hepatitis is?'

Hij trok zijn schouders op. 'Ik dacht dat ik me daar wel in zou verdiepen wanneer ik er niet meer onderuit kon. Als ik er niet meer onderuit zou kunnen.'

'Jezus,' fluisterde Sara, en omdat ze niet meer wist wat ze doen moest, liep ze maar weg. Ze liep in de richting van de straat, want als ze met een omweg naar het huis van haar ouders terugkeerde, zou ze wat tot bedaren komen. Haar moeder zou haar lol niet op kunnen als ze dit hoorde, en ze kon haar geen ongelijk geven

Jeffrey volgde haar. 'Waar ga je naartoe?'

'Ik bel je over een paar dagen wel.' Ze wachtte zijn antwoord niet af. 'Ik heb tijd nodig om na te denken.'

Hij haalde haar in en zijn vingers streken langs de achterkant van haar arm. 'We moeten praten.'

Ze lachte. 'Dus nu wil je er wel over praten.'

'Sara...'

'Er valt niks meer te zeggen,' deelde ze hem mee en ze versnelde haar pas. Jeffrey liep achter haar aan, ze hoorde zijn dreunende voetstappen vlak achter zich. Ze wilde het net op een rennen zetten toen hij van achteren tegen haar aan knalde. Sara belandde met een doffe, holle klap op de grond. Happend naar lucht begon ze te hoesten; ze voelde haar longen trillen in haar borstkas. De dreun waarmee ze tegen de grond was gesmakt, klonk nog na in haar oren en haar kaak knakte toen ze die bewoog.

Ze duwde hem van zich af, en zei woedend: 'Wat ben je...'

'Jezus, sorry. Gaat het?' Hij knielde voor haar neer en

plukte een twijgje uit haar haar. 'Het was niet mijn bedoeling...'

'Wat ben je toch een sukkel,' snauwde ze en ze legde
haar hand op haar borst. Ze was vooral geschrokken, en
als reactie werd ze nog kwader. 'Wat is er in godsnaam
met je aan de hand?'

'Ik struikelde,' zei hij, terwijl hij haar overeind wilde
helpen.

'Raak me niet aan!' Ze sloeg zijn hand weg en stond
zonder zijn hulp op.

Hij veegde de aarde van haar broek en herhaalde: 'Gaat
het echt wel?'

Ze week terug. 'Maak je over mij maar niet druk.'

'Zeker weten?'

'Ik ben niet van porselein,' zei ze, met een norse blik op
haar besmeurde sporttrui. De mouw was bij de schouder
gescheurd. 'Wat is er in godsnaam met je aan de hand?'

'Ik struikelde, dat zei ik toch. Je denkt toch niet dat ik
het met opzet deed?'

'Nee,' zei ze, maar haar woede werd er niet minder om.
'God, Jeffrey.' Voorzichtig strekte ze haar knie en ze voelde de pees verstrakken. 'Dat deed echt pijn.'

'Sorry,' zei hij nogmaals, en weer plukte hij een twijgje
uit haar haar.

Ze keek naar haar gescheurde mouw, en haar woede
sloeg om in ergernis. 'Wat gebeurde er eigenlijk?'

Hij draaide zich om en keek speurend om zich heen.
'Er moet ergens...' Hij zweeg.

Ze volgde zijn blik en zag een metalen buis uit de
grond steken. Aan de bovenkant zat ijzergaas, op de
plaats gehouden met een stuk elastiek.

'Sara,' was het enige wat hij zei, maar er ging een schok

door haar heen toen ze de huiver in zijn stem hoorde.

In gedachten zag ze de hele scène weer voor zich en opnieuw hoorde ze de doffe klap waarmee ze tegen de grond smakte. Het had een compacte dreun moeten zijn, niet die holle weerklank. Er was daar iets, onder hun voeten. In de grond lag iets begraven.

'Jezus,' fluisterde Jeffrey, en met een ruk trok hij het gaas weg. Hij tuurde door de buis, maar die had een doorsnee van zo'n anderhalve centimeter en Sara wist ook dat je er niets door zou kunnen zien.

Toch vroeg ze: 'Zie je iets?'

'Nee.' Hij probeerde de buis heen en weer te wrikken, maar er zat geen beweging in. Het ding was stevig vastgemaakt aan iets wat zich onder de grond bevond.

Ze liet zich op haar knieën vallen en rondom veegde ze bladeren en dennennaalden weg. Achteruit werkend legde ze een patroon van losse aarde bloot. Ze was ongeveer anderhalve meter van Jeffrey verwijderd toen het tot hen doordrong wat er wellicht onder hen lag.

Angst greep Sara bij de keel toen ze zag hoe Jeffrey gealarmeerd met zijn vingers in de grond begon te wroeten. De aarde liet zich moeiteloos verwijderen, alsof iemand er kort daarvoor nog in had gegraven. Het volgende moment zat Sara op haar knieën naast hem en trok stenen en brokken aarde weg, uit alle macht de gedachte verdringend aan wat ze zouden kunnen aantreffen.

'Kut!' Jeffreys hand schoot omhoog en Sara zag een flinke jaap aan de zijkant van zijn handpalm, waar iets scherps zijn huid had opengehaald. De snee bloedde hevig, maar hij ging verder met zijn karwei en begon weer te graven, de aarde opzij werpend.

Sara's vingers schraapten over iets hards en toen ze haar handen wegtrok, zag ze dat er houtsplinters onder haar nagels zaten. 'Jeffrey,' zei ze, maar hij groef door. 'Jeffrey.'

'Ik zie het,' zei hij. Hij had een deel van het hout om de buis blootgelegd. Rond de pijp zat een metalen sluitring die de zaak op zijn plaats hield. Jeffrey haalde zijn zakmes tevoorschijn, en terwijl Sara alleen maar kon toekijken, probeerde hij de schroeven los te peuteren. Door het bloed dat uit de snee stroomde glibberden zijn handen telkens langs het heft naar beneden, en uiteindelijk gaf hij het op, gooide het mes aan de kant en greep de buis vast. Hij wierp zijn schouder in de strijd, zijn gezicht verkrampend van de pijn. Toch bleef hij duwen tot het hout onheilspellend begon te kreunen en vervolgens versplinterde toen de sluitring losschoot.

Een muffe stank steeg op en Sara sloeg haar hand voor haar neus.

Het gat was zo'n acht centimeter in doorsnee en scherpe splinters staken als tanden in de opening.

Jeffrey tuurde door de breuk in het hout. Hij schudde zijn hoofd. 'Ik zie niks.'

Sara groef door. Ze werkte in achterwaartse richting, in de lengte van het hout. Bij elk nieuw gedeelte dat ze blootlegde, had ze het gevoel alsof haar hart door haar mond naar buiten kon barsten. Een aantal smalle planken zat aan elkaar vast getimmerd en vormde zo de bovenkant van iets wat alleen maar een lange, rechthoekige kist kon zijn. De adem stokte in haar keel en ondanks de koude wind brak het klamme zweet haar uit. Haar trui leek opeens een dwangbuis, en ze trok het ding over haar hoofd en gooide het aan de kant zodat ze zich vrijer kon bewegen. Bijtend op haar onderlip werkte ze door, en het duizelde haar toen ze alle mogelijkheden de revue liet passeren. Sara bad zelden, maar toen ze besefte wat ze misschien aan het opgraven waren, moest ze wel om hulp vragen, aan wie er maar wilde luisteren.

'Kijk uit,' waarschuwde Jeffrey, die nu met behulp van de buis de houten latten probeerde los te wrikken. Sara ging op haar knieën zitten en schermde haar ogen af toen de aarde alle kanten op vloog. Het hout, dat nog grotendeels onder de grond zat, versplinterde, maar Jeffrey bleef doorgaan en met zijn handen brak hij de dunne planken in tweeën. Er klonk een zacht, krakend gekreun, als een doodskreet, toen de spijkers het begaven. De stank van verse ontbinding walmde Sara als een krachtige windvlaag tegemoet, maar ze wendde haar blik niet af toen Jeffrey plat op de grond ging liggen en zijn arm in de nauwe opening stak.

Hij keek haar aan terwijl hij rondtastte, zijn kaken strak op elkaar geklemd. 'Ik voel iets,' zei hij. 'Iemand.'

'Ademt het?' vroeg Sara, maar hij schudde zijn hoofd nog voor de woorden haar mond hadden verlaten.

Nu ging Jeffrey langzamer en omzichtiger te werk. Hij wrikte nog een stuk hout los. Hij keek naar de onderkant en gaf het toen aan Sara. Ze zag krassen in het zachte hout, als van een in de val gelopen dier. In het volgende stuk hout dat Jeffrey haar aanreikte, stak een vingernagel – ongeveer even groot als die van haarzelf – en Sara legde de plank op de grond, met de onderkant naar boven. Weer kwam er een lat, nu met nog diepere krassen, en die legde ze naast de vorige, in een soort patroon, zo goed en zo kwaad als het ging, want ze wist dat het bewijsmateriaal was. Het zou een dier kunnen zijn. Misschien had een

kind iets uitgespookt. Of mogelijk was het een oude indiaanse begraafplaats. De ene verklaring na de andere
flitste door haar hoofd terwijl ze toekeek hoe Jeffrey de
planken wegbrak, en elke lat was als een splinter in Sara's
hart. Het waren er bijna twintig, maar bij de twaalfde
konden ze al zien wat eronder lag.

Jeffrey staarde in de kist; hij slikte en zijn adamsappel
bewoog op en neer. Hij was sprakeloos, evenals Sara.

Het slachtoffer was een jonge vrouw, waarschijnlijk tegen de twintig. Haar lange haar reikte tot op haar middel
en omhulde haar bovenlichaam. Ze droeg een eenvoudige blauwe jurk die tot halverwege haar kuiten kwam, en
daaronder witte sokken, maar geen schoenen. Haar
mond en ogen stonden wijdopen in een panische angst
die Sara bijna kon proeven. Eén hand stak omhoog, de
vingers samengetrokken, alsof het meisje zich nog steeds
naar buiten probeerde te klauwen. De harde oogrok was
bespikkeld met bloeduitstortinkjes, opgedroogde tranen
hadden dunne rode streepjes achtergelaten die door het
wit heen schemerden. In de kist lagen verscheidene lege
waterflesjes en ook was er een pot, die gebruikt was voor
uitwerpselen en urine. Rechts van haar lag een zaklantaarn, links een stuk half opgegeten brood. Aan de ran-
den zat schimmel, zoals er ook schimmel op de bovenlip
van het meisje lag, als een wazig snorretje. De jonge
vrouw was geen buitengewone schoonheid geweest, maar
waarschijnlijk wel aantrekkelijk, op haar eigen, beschei-
den manier.

Langzaam ademde Jeffrey uit en hij ging op de grond
zitten. Net als Sara zat hij onder de aarde. Net als Sara
leek het hem niet te deren.

Ze staarden naar het meisje, zagen hoe de wind die van

het meer kwam door haar dikke haren streek en aan de lange mouwen van haar jurk plukte. Sara's blik viel op een bijpassend blauw lint in het haar van het meisje en ze vroeg zich af wie dat erin had gedaan. Zou haar moeder of haar zusje het voor haar vastgemaakt hebben? Had ze in haar kamer voor de spiegel gezeten en het zelf gestrikt? En wat was er toen gebeurd? Wat had haar naar deze plek gevoerd?

Jeffrey veegde zijn handen af aan zijn spijkerbroek, en op de stof bleven bloedige vingerafdrukken achter. 'Ze wilden haar niet vermoorden,' giste hij.

'Nee,' beaamde Sara, overmand door een verpletterend verdriet. 'Ze wilden haar alleen de doodschrik op het lijf jagen.'

***

Met een van pijn vertrokken gezicht wikkelde Sara een pleister om haar gebroken vingernagel. Haar handen waren gekneusd van het graven, haar vingertoppen zaten vol krasjes die aanvoelden als speldenprikjes. Ze zou deze week extra voorzichtig moeten zijn tijdens haar werk in de kliniek en zorgen dat de wondjes bedekt bleven. Terwijl ze haar duim verbond, zag ze in een flits de nagel weer voor zich die ze in het stuk hout had aangetroffen, en ze voelde zich schuldig omdat ze zich druk maakte om haar eigen onnozele problemen. Sara kon zich geen voorstelling maken van de laatste minuten van het meisje, maar voor de dag voorbij was, zou ze dat wel moeten doen.

Door haar werk in het mortuarium wist Sara maar al te goed op wat voor verschrikkelijke manieren mensen

aan hun eind kunnen komen: neergestoken, doodge-
schoten, in elkaar geslagen of gewurgd. Ze probeerde elk
geval altijd met een klinisch oog te bekijken, maar soms
werd een slachtoffer een levend, ademend wezen dat Sara om hulp smeekte. Het meisje dat daar dood in die kist
in het bos had gelegen, had een appel op Sara gedaan. De
angst die in elke groef op haar gezicht stond gegrift, de
hand die een laatste greep naar het leven had gedaan, het
was één grote smeekbede om hulp. De laatste minuten
van het meisje moesten gruwelijk zijn geweest. Levend
begraven worden was het ergste wat Sara kon bedenken.

De telefoon ging in haar kantoortje en Sara liep op een
drafje naar de andere kant van het vertrek om het ant-
woordapparaat voor te zijn. Ze was een seconde te laat:
uit de hoorn kwam een krakend geruis toen ze opnam.

'Sara?' klonk Jeffreys stem.

'Ja,' zei ze, en ze schakelde het apparaat uit. 'Sorry.'

'We hebben niks gevonden,' zei hij, en ze hoorde de
frustratie in zijn stem.

'Niemand wordt vermist?'

'Een meisje, een paar weken geleden,' was zijn antwoord. 'Maar die is gisteren bij haar grootmoeder opge-
doken. Wacht even.' Ze hoorde hem iets mompelen en
toen was hij weer aan de lijn. 'Ik bel je zo terug.'

Er klonk een klik voor Sara kon reageren. Ze leunde
achterover op haar stoel en keek naar haar bureau, naar
de nette stapels papieren en memo's. Al haar pennen waren in een beker gezet en de telefoon stond keurig recht
langs de rand van het metalen bureau. Carlos, haar assis-
tent, werkte fulltime in het mortuarium, maar er waren
dagen dat hij niks anders te doen had dan duimendraai-
en en wachten tot iemand doodging. Blijkbaar had hij

zich nuttig gemaakt en haar kantoortje opgeruimd. Sara trok haar nagel door een barst in het formica, en ze besefte dat het namaak-houtlaminaat haar in al die jaren dat ze hier werkte nog nooit was opgevallen.

Ze dacht aan het hout van de kist waarin het meisje had gelegen. De planken leken nieuw, en het ijzergaas dat de buis afsloot, was er duidelijk omheen gewikkeld om te voorkomen dat rommel de luchttoevoer zou afsluiten. Iemand had het meisje daar vastgehouden, had haar daar gevangen gehouden voor zijn eigen zieke doeleinden. Dacht haar ontvoerder op dit moment aan haar, zoals ze daar in die kist lag en geen kant op kon, en gaf het hem een kick dat hij haar in zijn macht had? Was hij misschien al aan zijn gerief gekomen door haar daar simpelweg dood te laten hongeren?

Sara schrok op van de telefoon. Ze nam op en zei: 'Jeffrey?'

'Ogenblikje.' Met zijn hand op de hoorn wisselde hij een paar woorden met iemand, en Sara wachtte tot hij weer aan de lijn kwam. 'Hoe oud denk je dat ze is?'

Sara sloeg er liever geen slag naar, maar niettemin zei ze: 'Ergens tussen de zestien en de negentien. Moeilijk te zeggen in dit stadium.'

Hij gaf de informatie door aan iemand ter plekke en vroeg toen: 'Denk je dat ze gedwongen werd die kleren aan te trekken?'

'Ik weet het niet,' antwoordde ze. Ze vroeg zich af waar hij op aanstuurde.

'Haar sokken zijn aan de onderkant nog schoon.'

'Misschien heeft hij haar schoenen uitgetrokken nadat hij haar in de kist had gelegd,' opperde Sara, maar toen ze besefte wat hem dwarszat, voegde ze eraan toe: 'Pas als ze op de sectietafel ligt kan ik je vertellen of er sprake is van een seksueel misdrijf.'

'Misschien stelde hij dat nog even uit,' meende Jeffrey, en beiden zwegen terwijl ze de mogelijkheid lieten bezinken. 'De regen komt hier met bakken naar beneden,' zei hij. 'We proberen de kist uit te graven, misschien vinden we nog iets.'

'Het hout zag er nieuw uit.'

'Aan de zijkant zit schimmel,' vertelde hij. 'Misschien is het zo de grond in gegaan, want zo snel kan het toch niet verweren?'

'Is het misschien vacuüm geïmpregneerd?'

'Ja,' zei hij. 'En de voegen zijn allemaal onder verstek gezaagd. De vent die dit in elkaar heeft gezet, wist waar hij mee bezig was. Het was een vakman.' Er viel een stilte, en ze hoorde hem ook niet met iemand anders praten. Ten slotte zei hij: 'Het lijkt nog een meisje, Sara.'

'Ik weet het.'

'Iemand moet haar missen,' zei hij. 'Ze is niet zomaar weggelopen.'

Sara zei niets. Ze had tijdens autopsies te veel geheimen blootgelegd om een overhaast oordeel over het meisje te kunnen vellen. Je kon alleen maar gissen naar de omstandigheden die haar naar die duistere plek in het bos hadden gevoerd.

'We hebben haar op de telex gezet,' zei Jeffrey. 'In de hele staat.'

'Denk je dat ze van elders kwam?' vroeg Sara verbaasd. Om de een of andere reden was ze ervan uitgegaan dat het een meisje uit de streek was.

'Het bos is openbaar gebied,' zei hij. 'Er komen daar voortdurend alle mogelijke mensen.'

'Maar die plek...' Sara maakte haar zin niet af. Ze vroeg zich af of ze misschien de vorige week op een avond een blik uit haar raam had geworpen, maar in het donker niet had gezien dat het meisje op de tegenoverliggende oever door haar ontvoerder levend werd begraven.

'Hij zal toch af en toe bij haar langs zijn gegaan,' zei Jeffrey, Sara's gedachten verwoordend over degene die het meisje ontvoerd had. 'We zijn met een buurtonderzoek bezig en vragen de mensen of ze hier de laatste tijd iemand hebben gezien die er niet scheen te horen.'

'Ik kom daar altijd langs als ik aan het joggen ben,' zei Sara. 'Ik heb er nog nooit iemand gezien. Als jij niet gestruikeld was, zouden we niet eens hebben geweten dat ze daar lag.'

'Brad onderzoekt die buis op vingerafdrukken.'

'Misschien kun jij dat beter doen,' zei ze. 'Of anders ik.'

'Brad weet heel goed wat hij doet.'

'Nee,' zei ze. 'Je hebt je hand opengehaald. Jouw bloed zit aan die buis.'

Jeffrey zweeg even. 'Hij heeft handschoenen aan.'

'Ook een beschermende bril?' vroeg ze. Ze voelde zich net een soort opzichter, maar ze wist dat ze de kwestie ter sprake moest brengen. Jeffrey reageerde niet en daarom legde ze het nog maar even uit. 'Ik wil hier niet vervelend over doen, maar zolang we geen zekerheid hebben, moeten we voorzichtig zijn. Je zou het jezelf nooit vergeven als...' Ze zweeg en liet hem zelf de rest invullen. Toen hij nog steeds niet reageerde, vroeg ze: 'Jeffrey?'

'Ik stuur het zaakje met Carlos mee terug,' klonk het, maar ze merkte dat hij geïrriteerd was.

'Sorry,' zei Sara, hoewel het haar niet helemaal duidelijk was waarvoor ze zich verontschuldigde.

Het bleef weer stil aan de andere kant van de lijn. Ze hoorde het geknetter van zijn mobiel toen hij van houding veranderde, waarschijnlijk omdat hij weg wilde van die plek.

'Hoe is ze volgens jou gestorven?' vroeg hij.

Sara zuchtte voor ze antwoord gaf. Met speculeren had ze niet veel op. 'Te oordelen naar hoe we haar gevonden hebben, zou ik zeggen aan zuurstofgebrek.'

'Maar die buis dan?'

'Misschien was die te nauw. Misschien raakte ze in paniek.' Ze zweeg even. 'Daarom doe ik ook liever geen uitspraken als ik alle feiten nog niet tot mijn beschikking heb. Er zou een achterliggende reden kunnen zijn, iets met haar hart bijvoorbeeld. Of misschien had ze diabetes. Ze kan wel van alles hebben gehad. Ik weet het pas als ik haar hier op de tafel heb, en ook dan weet ik het misschien pas zeker als alle testuitslagen binnen zijn, hoewel het altijd afwachten blijft.'

Jeffrey leek over de opties na te denken. 'Je denkt dus dat ze in paniek is geraakt?'

'Ik zou wel in paniek zijn geraakt.'

'Ze had een zaklantaarn bij zich,' benadrukte hij. 'De batterijen deden het nog.'

'Schrale troost.'

'Zodra ze schoongemaakt is, wil ik een goede foto van haar nemen die ik kan rondsturen. Er moet toch iemand naar haar op zoek zijn.'

'Ze had een voorraadje eten en drinken bij zich. Ik kan me niet voorstellen dat degene die haar daar begraven heeft van plan was haar daar voor onbepaalde tijd te laten liggen.'

'Ik heb Nick gebeld,' zei hij, doelend op de lokale man

van het Georgia Bureau of Investigation. 'Hij gaat nu naar het bureau om te zien of de computer iets in die richting oplevert. Misschien is ze ontvoerd, wilden ze een losprijs.'

Ergens vond Sara dat prettiger dan de gedachte dat het kind met sadistischer bedoelingen uit haar omgeving was weggerukt.

'Lena kan binnen een uur in het mortuarium zijn,' zei hij.

'Zal ik je bellen als ze hier is?'

'Nee,' zei hij. 'Het is nu bijna donker. Ik kom eraan zodra we de plaats delict hebben afgezet.' Hij aarzelde, alsof hij nog iets wilde zeggen.

'Wat is er?' vroeg Sara.

'Het is nog maar een meisje.'

'Ik weet het.'

Hij schraapte zijn keel. 'Iemand is nu naar haar op zoek, Sara. We moeten er snel achter komen wie ze is.'

'Dat gaat ook lukken.'

Het was even stil en toen zei hij: 'Ik kom zo snel mogelijk.'

Zachtjes legde ze de telefoon neer, maar Jeffreys woorden weerklonken nog in haar hoofd. Iets meer dan een jaar geleden had hij tijdens de uitoefening van zijn ambt een meisje moeten neerschieten. Hij sprak er liever niet over, maar ze wist dat de herinnering hem nog steeds achtervolgde. Sara was erbij geweest, ze had het hele drama zich voor haar ogen zien voltrekken, als in een nachtmerrie, en ze wist dat Jeffrey geen andere keus had gehad, zoals ze ook wist dat hij zichzelf zijn aandeel aan de dood van het meisje nooit zou vergeven.

Sara liep naar de dossierkast die tegen de muur stond

en zocht de papieren bij elkaar die ze voor de autopsie nodig had. Hoewel de doodsoorzaak waarschijnlijk verstikking was, hoorde het bij de procedure om veneus bloed en urine af te nemen, van een etiket te voorzien en op te sturen naar het staatslaboratorium, waar het eindeloos in een la zou blijven liggen tot het overbelaste personeel van het Georgia Bureau of Investigation er tijd voor vond. Weefsel moest worden geprepareerd en minstens drie jaar in het mortuarium worden bewaard. Sporenmonsters moesten worden verzameld, gedateerd en in verzegelde papieren zakken opgeborgen. Afhankelijk van wat Sara aantrof, zou er op verkrachting worden getest: vingernagels zouden worden schoongeschraapt en afgeknipt, van vagina, anus en mond zouden monsters worden genomen, DNA zou worden verzameld en verwerkt. Organen moesten gewogen worden, armen en benen opgemeten. Haarkleur, kleur van de ogen, moedervlekken, leeftijd, ras, sekse, aantal tanden, littekens, kneuzingen, anatomische afwijkingen – al die dingen moesten op het juiste formulier worden ingevuld. In de loop van de volgende paar uur zou Sara Jeffrey alles kunnen vertellen wat er over het meisje te vertellen viel, behalve dat ene, dat voor hem zo belangrijk was: haar naam.

Sara sloeg haar logboek open en gaf de zaak een nummer. Voor de rechter van instructie zou het meisje voortaan nummer 8472 zijn. Tot op heden had Grant County nog maar twee keer te maken gehad met een ongeïdentificeerd lijk, en de politie zou haar voortaan Jane Doe nummer drie noemen. Overmand door verdriet schreef Sara die naam in het logboek. Tot een familielid werd gevonden, zou het slachtoffer simpelweg een serie getallen zijn.

Sara pakte nog een stapel formulieren en bladerde die door tot ze de standaardoverlijdensverklaring had gevonden. De wet gaf Sara achtenveertig uur om een overlijdensverklaring voor het meisje op te stellen. Het proces waarbij het slachtoffer van een persoon in een reeks getallen veranderde, versnelde bij elke volgende stap. Na de autopsie zou Sara de code opzoeken die bij de specifieke doodsoorzaak hoorde en die invullen in het juiste vakje op het formulier. Het formulier zou naar het Nationale Centrum voor Gezondheidsonderzoek worden gezonden, en die instantie zou het overlijden weer doorgeven aan de Wereld Gezondheidsorganisatie. Eenmaal daar beland zou het meisje in een categorie worden ingedeeld en geanalyseerd, en van nog meer codes en nummers worden voorzien, en dat alles zou worden opgenomen in een databank met gegevens uit het hele land, en vervolgens van over de hele wereld. Het feit dat ze familie had, vrienden, wellicht een minnaar, was voor het rekensommetje van geen belang.

Weer zag Sara het meisje in haar houten kist liggen, met die panische uitdrukking op haar gezicht. Ze was iemands dochter. Toen ze geboren werd, had iemand het kind aangekeken en een naam gegeven. Iemand had van haar gehouden.

Het stokoude raderwerk van de lift kwam zoemend tot leven en Sara duwde de paperassen aan de kant en stond op van haar stoel. Ze ging bij de deuren van de lift staan en luisterde naar het gekreun van het mechanisme terwijl de kooi door de schacht naar beneden zakte. Carlos was ongelooflijk serieus voor zijn leeftijd, en een van de weinige grapjes die Sara hem ooit had horen maken, kwam erop neer dat hij in het antieke apparaat naar beneden stortte en zo de dood vond.

Boven de deuren zat een soort wijzer die de nummers van de verdiepingen aangaf. Het was een ouderwets ding: een klok met drie getallen. De naald zweefde tussen de een en de nul, en er zat nauwelijks beweging in. Sara leunde tegen de muur en in gedachten telde ze de seconden af. Ze was bij achtendertig en stond op het punt de onderhoudsdienst te bellen toen een luide galm weerklonk in de betegelde ruimte en de deuren langzaam openschoven.

Carlos stond achter de brancard, zijn ogen wijd opengesperd. 'Ik dacht dat het ding was blijven steken,' mompelde hij met zijn zware accent.

'Ik help je wel even,' bood ze aan, en ze pakte het uiteinde van de brancard vast zodat hij die niet in zijn eentje naar buiten hoefde te manoeuvreren. De arm waarmee het meisje zich een uitweg uit de kist had proberen te klauwen stak nog steeds in een rechte hoek omhoog, en Sara moest de brancard bij het draaien een stukje optillen omdat de arm anders achter de deur zou blijven haken.

'Heb je boven al foto's genomen?' vroeg ze.

'Ja.'

'Hoe zwaar is ze?'

'Eenenvijftig kilo,' zei hij. 'Een meter zevenenvijftig lang.'

Sara schreef het op het bord aan de muur. Ze drukte de dop op de markeerstift en zei toen: 'Kom, dan leggen we haar op de tafel.'

Op de plaats delict had Carlos het meisje in een zwarte lijkenzak gedaan en nu grepen ze samen de hoeken van de zak en tilden haar op de tafel. Sara hielp hem met de

130

rits en vervolgens maakten ze het meisje in alle rust gereed voor de autopsie. Nadat hij schone handschoenen had aangetrokken, knipte Carlos de bruine papieren zakken open die over haar handen waren geschoven om eventuele sporen te bewaren. Haar lange haar klitte op sommige plekken, maar niettemin viel het als een waterval over de zijkant van de tafel. Sara trok zelf ook nieuwe handschoenen aan en streek het haar langs het lichaam. Het gezicht van het meisje was een van afschuw vertrokken masker, en Sara was zich ervan bewust dat ze angstvallig vermeed ernaar te kijken. Ze wierp een blik op Carlos en zag dat hij hetzelfde deed.

Terwijl Carlos het meisje uitkleedde, liep Sara naar de metalen kast bij de spoelbakken en haalde er een operatieschort en een beschermende bril uit, die ze op een blad naast de tafel legde. Weer kwam dat bijna ondraaglijke verdriet opzetten toen Carlos het melkwitte vlees van het meisje blootstelde aan de felle mortuariumlampen. Haar kleine borsten staken in een meisjesbehaatje en ze droeg een katoenen slip met pijpjes, zo'n ding dat Sara altijd met oudere dames associeerde; haar oma Earnshaw had Sara en Tessa elk jaar met kerst een pak van tien gegeven, van het soort dat Tessa omaslipjes noemde.

'Geen labels,' zei Carlos. Sara liep naar hem toe om het met eigen ogen te zien. Hij had de jurk op een stuk bruin papier uitgespreid opdat ze geen enkele aanwijzing zouden missen. Om besmetting van bewijsmateriaal te voorkomen verwisselde Sara haar handschoenen voor ze de stof aanraakte. De jurk was naar een simpel patroon gemaakt en had lange mouwen en een gesteven kraagje. Ze vermoedde dat de stof uit een mengsel van zware katoensoorten bestond.

131

Sara bestudeerde de naden en zei: 'Zo te zien komt hij niet uit een fabriek.' Dat zou op zichzelf al een aanwijzing kunnen zijn. Hoewel ze op de middelbare school ooit een tot mislukken gedoemde cursus huishoudkunde had gevolgd, kon Sara hooguit een knoop aannaaien. Degene die deze jurk had gemaakt, had er duidelijk verstand van.

'Het ziet er behoorlijk schoon uit,' zei Carlos toen hij de slip en de beha op het papier legde. De kledingstukken waren vaak gedragen, maar wel smetteloos schoon. Door het vele wassen waren de labels echter vervaagd.

'Kun je die even onder de uv-lamp houden?' vroeg ze, maar hij was al op weg naar de kast om de lamp te pakken.

Sara keerde terug naar de sectietafel en tot haar opluchting vond ze op de schaamstreek en de dijen van het meisje geen tekenen van kneuzing of trauma. Ze wachtte terwijl Carlos de stekker van de uv-lamp in het stopcontact stak en het licht op de kleren liet schijnen. Er gloeide niks op en dat betekende dat er geen sperma- of bloedsporen op zaten. Het verlengsnoer achter zich aan slepend liep hij naar het lichaam en gaf de lamp aan Sara.

'Doe jij het maar,' zei ze, en langzaam liet hij het licht over het lichaam van het meisje gaan. Hij had een vaste hand en zijn blik was geconcentreerd. Sara droeg Carlos wel vaker dit soort karweitjes op, want ze wist dat hij zich soms stierlijk verveelde als hij de hele dag in het mortuarium rondhing. Maar die ene keer dat ze de mogelijkheid van een vervolgstudie had geopperd, had hij verbijsterd zijn hoofd geschud, alsof ze hem met een raket naar de maan wilde sturen.

'Schoon,' zei hij, en hij schonk haar een van zijn zeldzame glimlachjes, zijn tanden paars in het licht van de lamp. Hij knipte de lamp uit en rolde het snoer op, waarna hij hem weer in de kast opborg.

Sara reed de bladen met instrumenten naar de tafel. Carlos had alle benodigdheden voor de autopsie al klaargelegd, en hoewel hij zich zelden vergiste, keek Sara het toch even na, want ze wilde er zeker van zijn dat alles bij de hand was.

Scalpels lagen op een rij naast verschillende soorten chirurgische scharen. Op het tweede blad lagen tangen in uiteenlopende maten, haken, sondes, kniptangen en een broodmes. De oscillerende zaag en de autopsiebeitel lagen aan het voeteneinde van de tafel, de weegschaal voor de organen bevond zich aan het hoofdeinde. Bij de spoelbak stonden potten en reageerbuisjes van onbreekbaar glas, voor het bewaren van weefselmonsters. Een meetlat en een liniaaltje lagen naast de camera, die gebruikt werd om alle abnormale vondsten vast te leggen.

Toen Sara zich weer naar Carlos toekeerde, legde hij net de schouders van het meisje op een rubberen blok om haar hals te strekken. Met Sara's hulp vouwde hij een wit laken open en bedekte daarmee haar lichaam, met uitzondering van haar gebogen arm. Hij deed heel voorzichtig met het meisje, alsof ze nog leefde en alles kon voelen. Sara besefte weer eens dat ze ruim tien jaar met Carlos had samengewerkt en nog steeds heel weinig over hem wist.

Zijn horloge gaf drie piepjes. Met een druk op een van de vele knopjes zette hij het uit en toen zei hij tegen Sara: 'De röntgenfoto's moeten nu ongeveer klaar zijn.'

'Ik zorg wel voor de rest,' zei ze, hoewel er niet veel meer te doen was.

Pas toen ze zijn zware voetstappen in het trappenhuis

hoorde, was ze in staat naar het gezicht van het meisje te kijken. In het licht van het spotlight boven haar hoofd zag ze er ouder uit dan Sara eerst had gedacht. Misschien was ze al begin twintig. Misschien was ze getrouwd. Misschien had ze wel een kind.

Weer hoorde Sara voetstappen op de trap. Deze keer waren ze niet van Carlos, maar van Lena Adams, die de zwaaideur openduwde en het vertrek betrad.

'Hoi,' zei Lena, en ze keek het mortuarium rond, alsof ze alles in zich op wilde nemen. Ze had haar handen in de zij en haar pistool stak onder haar arm uit. Lena stond als een echte smeris: voeten uit elkaar, schouders recht, en hoewel ze klein was, vulde ze met haar houding de hele ruimte. De jonge rechercheur straalde iets uit wat op Sara's zenuwen werkte, en ze zorgde ervoor dat ze zelden alleen met haar was.

'Jeffrey is er nog niet,' zei Sara, terwijl ze een bandje pakte voor de dictafoon. 'Je mag wel in mijn kantoortje wachten als je wilt.'

'Nee, niet nodig,' antwoordde Lena, en ze liep naar het lichaam. Ze liet haar blik even op het meisje rusten en fluitte toen zachtjes. Sara keek naar Lena en had het gevoel dat er iets aan haar veranderd was. Gewoonlijk hing er een soort waas van agressie om haar heen, maar nu leek het wel alsof ze haar defensieve houding wat had laten varen. Haar ogen waren roodomrand van vermoeidheid en ze was zichtbaar afgevallen, wat haar toch al slanke bouw niet ten goede kwam.

'Gaat het?' vroeg Sara.

In plaats van te antwoorden wees Lena op het meisje en zei: 'Wat is er met haar gebeurd?'

Sara stopte het bandje in de cassetteruimte. 'Ze is levend begraven in een houten kist, vlak bij het meer.'

Lena huiverde. 'Jezus.'

Sara tikte met haar voet op het pedaal onder de tafel om de cassetterecorder in werking te zetten. Ze zei een paar keer 'test', en keek toen of het apparaat het wel deed.

'Hoe weet je dat ze nog leefde?' vroeg Lena.

'Ze heeft aan de planken gekrabd,' legde Sara uit terwijl ze het bandje terugspoelde. 'Iemand had haar onder de grond gestopt om haar te... Ik weet het niet. Hij hield haar daar met een bepaalde bedoeling.'

Lena haalde diep adem, met opgetrokken schouders. 'Steekt haar arm daarom in de lucht? Omdat ze zich naar buiten probeerde te werken?'

'Dat zou je wel denken.'

'Jezus.'

De terugspoelknop van de cassetterecorder sprong omhoog. Ze zwegen beiden toen ze Sara's stem weer 'test, test' hoorden zeggen.

Lena wachtte even en vroeg toen: 'Enig idee wie het is?'

'Nee, geen idee.'

'Kreeg ze geen zuurstof meer?'

Sara staakte haar bezigheden en vertelde haar wat er allemaal gebeurd was. Lena luisterde aandachtig, met een uitdrukkingsloos gezicht. Sara wist dat ze zich had aangeleerd geen reactie te tonen, maar niettemin vond ze het griezelig zoals Lena afstand kon nemen van een dergelijke gruwelijke misdaad.

Toen Sara haar verhaal had verteld, klonk er slechts een gefluisterd 'shit'.

'Zeg dat wel,' beaamde Sara. Ze wierp een blik op de klok en vroeg zich net af waar Carlos bleef toen hij binnen kwam wandelen, in gezelschap van Jeffrey.

'Lena,' zei Jeffrey. 'Fijn dat je gekomen bent.'

'Kleine moeite,' zei ze, en ze kruiste haar armen voor haar borst.

Jeffrey keek nog eens goed naar Lena. 'Gaat het?'

Lena's ogen schoten naar Sara, met iets van schuld in haar blik, hoewel ze toch geen grote geheimen hadden uitgewisseld. 'Niks aan de hand,' zei Lena. Ze wees naar het dode meisje. 'Weet je al hoe ze heet?'

Jeffreys kaak verstrakte. Ze had hem geen slechtere vraag kunnen stellen. 'Nee,' kreeg hij er met moeite uit.

Sara wees naar de spoelbak en zei: 'Je moet die wond op je hand wassen.'

'Heb ik al gedaan.'

'Doe het dan nog maar een keer,' gebood ze, en ze sleepte hem mee en draaide de kraan open. 'Er zit nog allemaal vuil in.'

Hij siste tussen zijn opeengeklemde tanden toen ze zijn hand onder de warme waterstraal hield. De wond moest eigenlijk gehecht worden, maar er was te veel tijd verstreken om hem dicht te naaien zonder infectie te riskeren. Sara zou zich met hechtpleister moeten behelpen en dan maar hopen dat het goed kwam. 'Ik zal straks een recept uitschrijven voor antibiotica.'

'Fantastisch.' Hij schonk haar een geërgerde blik toen ze een nieuw paar handschoenen aantrok. Hij kreeg eenzelfde blik terug toen ze zijn hand verbond, want ze wisten allebei dat ze deze discussie beter niet konden voeren waar anderen bij waren.

'Dokter Linton?' zei Carlos. Hij stond bij de lichtbak en bekeek de röntgenfoto's van het meisje. Toen Sara klaar was met Jeffreys hand kwam ze naast hem staan. Er hingen verschillende afbeeldingen op een rij, maar haar blik ging onmiddellijk naar de foto's van de buik.

'Ik ben bang dat ik die over moet doen,' zei Carlos. 'Deze hier is een beetje wazig.'

Het röntgenapparaat was ouder dan Sara, maar ze wist dat er niets met de foto aan de hand was. 'Nee,' fluisterde ze, en een golf van ontzetting trok door haar heen.

Jeffrey had zich bij hen gevoegd. Hij peuterde nu al aan het verband dat ze om zijn hand had aangebracht. 'Wat is er?'

'Ze was zwanger.'

'Zwanger?' herhaalde Lena.

Sara bestudeerde de foto, en in gedachten maakte ze zich een voorstelling van de taak waarvoor ze zich gesteld zag. Sectie op een baby was iets vreselijks. Dit zou het jongste slachtoffer zijn dat ze ooit in het mortuarium had gehad.

'Weet je het zeker?' vroeg Jeffrey.

'Je kunt hier het hoofdje zien,' legde Sara uit, en ze gaf de vorm aan. 'Beentjes, armpjes, de romp,' zei ze, alles een voor een aanwijzend.

Lena was dichterbij gekomen om het beter te kunnen zien, en haar stem klonk heel zacht toen ze vroeg: 'Hoe ver was ze?'

'Ik weet het niet,' antwoordde Sara, en het was alsof er een glasscherf in haar borst stak. Ze zou de foetus moeten vastpakken, hem moeten ontleden, alsof ze een vrucht in partjes sneed. Het schedeltje zou zacht zijn, de ogen en de mond waren hooguit een paar donkere streepjes onder een papierdunne huid. Soms haatte ze haar werk, vooral bij dit soort zaken.

'Hoeveel maanden? Weken?' drong Lena aan.

Sara wist het niet. 'Dat moet ik eerst onderzoeken.'

'Een dubbele moord, dus,' zei Jeffrey.

'Dat hoeft niet,' liet Sara hem weten. Afhankelijk van welke partij de grootste mond opzette, veranderden de politici praktisch elke dag de wet omtrent foetale dood. Gelukkig had Sara zich er nog nooit in hoeven verdiepen. 'Dat zal ik met de overheid moeten opnemen.'

'Waarom?' vroeg Lena. Haar stem klonk zo vreemd dat Sara zich naar haar toekeerde. Lena staarde naar de röntgenfoto alsof er in het hele vertrek verder niets meer bestond.

'De wet gaat niet langer uit van levensvatbaarheid,' vertelde Sara en ze vroeg zich af waarom Lena erop doorging. Ze leek Sara niet een type dat dol was op kinderen, maar Lena werd ook wat ouder. Misschien begon haar biologische klok zo langzamerhand te tikken.

Met een knikje naar de foto en terwijl ze haar armen strak voor haar borst hield, vroeg Lena: 'Was het levensvatbaar?'

'In de verste verte niet,' zei Sara, en ter verduidelijking voegde ze eraan toe: 'Ik heb wel eens over foetussen gelezen die met drieëntwintig weken ter wereld kwamen en bleven leven, maar het is erg ongewoon om...'

'Dat is dus in het tweede trimester,' onderbrak Lena haar.

'Precies.'

'Drieëntwintig weken?' herhaalde Lena. Sara zag haar slikken en ze wisselde een blik met Jeffrey.

Hij haalde zijn schouders op en vroeg toen aan Lena: 'Gaat het echt wel?'

'Ja hoor,' zei ze, maar ze leek haar blik slechts met moeite van de röntgenfoto te kunnen losmaken. 'Ja,' zei ze nogmaals. 'Laten we maar... eh... van start gaan.'

Weer keek Jeffrey Sara aan, en die haalde op haar beurt haar schouders op.

Carlos hielp Sara in haar operatieschort en samen onderzochten ze elke vierkante centimeter van het lichaam van het meisje. Het weinige dat ze vonden, maten ze op en fotografeerden ze. Rond haar keel zaten wat krabben, waarschijnlijk door haarzelf aangebracht, een veelvoorkomend verschijnsel bij ademnood. De huid op de toppen van de rechterwijs- en middelvinger ontbrak en Sara vermoedde dat ze die terug zouden vinden op de houten latten die boven haar hoofd hadden gezeten. Onder haar nagels vond ze splinters, stille getuigen van haar pogingen zich naar buiten te vechten, maar weefsel of huidresten trof Sara er niet aan.

Er zat geen vuil in de mond van het meisje, en het zachte huidweefsel vertoonde geen scheurtjes of kneuzingen. Haar gebit was vrij van vullingen of ander tandheelkundig werk, hoewel er een heel klein gaatje in een kies rechtsachter zat. Ze was nog in het bezit van al haar verstandskiezen, en twee ervan kwamen al door. Onder de rechterbil van het meisje zat een stervormige moedervlek en op haar rechteronderarm had ze een stukje droge huid. Ze had een hemd met lange mouwen gedragen, en Sara concludeerde dat het om hardnekkig eczeem ging. In de winter hadden mensen met een lichte huid het altijd moeilijker.

Jeffrey ging polaroids maken voor de identificatie, maar eerst probeerde Sara de lippen van het meisje dicht te drukken en haar ogen te sluiten, om haar gezicht een wat zachtere uitdrukking te geven. Nadat ze dat zo goed mogelijk had gedaan, nam ze een dun mesje en schraapte de schimmel bij de mond weg. Er zat niet veel, maar niettemin stopte ze het in een potje om het naar het lab te sturen.

Jeffrey boog zich over het lichaam heen en hield de polaroidcamera vlak bij het gezicht. Het flitslicht vonkte op en een luide knal echode door het vertrek. Sara moest een paar keer met haar ogen knipperen voor ze weer goed kon zien. De stank van brandend plastic die van de goedkope camera afkwam, verdreef tijdelijk de andere geuren die in het mortuarium hingen.

'Nog eentje,' zei Jeffrey, en weer boog hij zich over het meisje. Opnieuw klonk er een knal; de camera zoemde en spuwde een tweede foto uit.

Lena zei: 'Zo te zien was het geen zwerfster.'

'Nee,' beaamde Jeffrey. Hij klonk gespannen, alsof hij naarstig naar antwoorden zocht. Hij wapperde de polaroid heen en weer, alsof die daardoor sneller zou worden ontwikkeld.

'We gaan vingerafdrukken afnemen,' zei Sara, en ze testte de spanning in de opgeheven arm van het meisje.

Er was minder weerstand dan Sara had verwacht en ze was zichtbaar verbaasd, want Jeffrey vroeg: 'Hoe lang denk je dat ze al dood is?'

Sara duwde de arm naar beneden, langs de zij van het meisje, zodat Carlos haar vingers kon inkten om er een afdruk van te maken. Ze zei: 'Zes tot twaalf uur na de dood is de lijkstijfheid volledig. Te oordelen naar de mate waarin die weer verdwijnt, schat ik dat ze vierentwintig uur dood is, twee dagen op zijn hoogst.' Ze wees naar de verkleuringen op de rug van het lichaam en drukte haar vingers in de paarsige vlekken. '*Livor mortis* is ingetreden. Ze begint te ontbinden. Het moet koud zijn geweest daar onder de grond. Het lichaam is nog in goede staat.'

'En die schimmel rond haar mond?'

Sara bekeek de kaart die Carlos haar had overhandigd, want ze wilde er zeker van zijn dat hij goede afdrukken had gemaakt van de vingertoppen die nog intact waren. Ze knikte, gaf de kaart aan hem terug en zei tegen Jeffrey: 'Er zijn schimmels die zich heel snel verspreiden, vooral in een dergelijke omgeving. Misschien heeft ze overgegeven en is dat gaan schimmelen.' Opeens kreeg ze een inval. 'Bepaalde schimmelsoorten onttrekken zuurstof aan een afgesloten ruimte.'

'Er zat ook wat aan de binnenkant van de kist,' herinnerde Jeffrey zich. Hij bekeek de foto en liet hem aan Sara zien. 'Het is minder erg dan ik had gedacht.'

Sara knikte, hoewel ze zich niet kon voorstellen hoe het moest zijn om het meisje levend gekend te hebben en dan deze foto van haar onder ogen te krijgen. Ook al had Sara haar best gedaan op het gezicht, het was onmiskenbaar dat ze een gruwelijke dood was gestorven.

Jeffrey reikte Lena de foto aan, maar die schudde haar hoofd. 'Denk je dat ze misbruikt is?'

'Daar gaan we nu naar kijken,' zei Sara, zich ervan bewust dat ze het onvermijdelijke voor zich uit had geschoven.

Carlos overhandigde haar het speculum en rolde een verplaatsbare lamp dichterbij zodat Sara goed kon zien wat ze deed. Ze had het gevoel dat iedereen zijn adem inhield terwijl ze het bekkenonderzoek verrichtte, en toen ze zei dat er geen tekenen waren die wezen op een seksueel misdrijf, leken ze collectief uit te ademen. Sara wist niet waarom verkrachting een dergelijke zaak nog afschuwelijker maakte, maar ze kon niet om het feit heen dat ze opgelucht was toen bleek dat die vernedering het meisje in elk geval bespaard was gebleven voor ze stierf.

Vervolgens onderzocht Sara de ogen, en het viel haar meteen op dat die bezaaid waren met bloeduitstortinkjes. De lippen van het meisje waren blauw, haar iets naar buiten stekende tong was donkerpaars. 'Meestal zie je geen puntbloedinkjes bij een dergelijk geval van verstikking,' zei ze.

'Denk je dat ze ergens anders aan gestorven is?' vroeg Jeffrey.

'Ik weet het niet,' zei Sara naar waarheid.

Met een naald 18 doorboorde ze het midden van het oog om glasvocht aan de bol te onttrekken. Carlos vulde een tweede injectiespuit met een zoutoplossing en daarmee verving ze het afgetapte vocht om te voorkomen dat de oogbol inklapte.

Toen Sara het uitwendige onderzoek had voltooid, vroeg ze: 'Klaar?'

Jeffrey en Lena knikten gelijktijdig. Sara drukte op het pedaal onder de tafel, waardoor de dictafoon in werking trad, en sprak de volgende tekst in: 'Obductienummer vierentachtig-tweeënzeventig is het niet-gebalsemde lichaam van een blanke Jane Doe met bruin haar en bruine ogen. De leeftijd is onbekend, waarschijnlijk tussen de achttien en de twintig. Gewicht: eenenvijftig kilo; lengte: een meter zevenenvijftig. De huid voelt koel aan nadat ze voor onbepaalde tijd onder de grond heeft gelegen.' Ze tikte de cassetterecorder uit en zei tegen Carlos: 'Ik wil een temperatuuroverzicht van de afgelopen twee weken.'

Carlos tekende het aan op het bord en Jeffrey vroeg: 'Denk je dat ze daar langer dan een week heeft gelegen?'

'Maandag kelderde de temperatuur naar het vriespunt,' deelde ze hem mee. 'Er zaten niet veel uitscheidingsproducten in de pot, maar misschien beperkte ze haar vochtinname om er zo lang mogelijk mee te doen. Waarschijnlijk was ze ook uitgedroogd door de shock.' Ze deed de dictafoon weer aan, pakte een scalpel en zei: 'Het inwendig onderzoek begint met de standaard Y-incisie.'

De eerste keer dat Sara sectie had verricht, had haar hand gebeefd. Als arts had ze geleerd slechts lichte druk uit te oefenen. Als chirurg wist ze dat iedere snede die in het lichaam werd gemaakt weloverwogen en beheerst moest zijn, dat elke beweging van haar hand op genezing, niet op verwoesting, gericht moest zijn. De eerste sneden tijdens een autopsie druisten in tegen alles wat ze geleerd had, want dan legde ze het lichaam open alsof het een stuk rauw vlees was.

Ze plaatste de scalpel aan de rechterkant van het lichaam, voor de schoudertop. Ze sneed door de borsten, waarbij de punt van het mes langs de ribben gleed, en stopte bij het zwaardvormig aanhangsel. Vervolgens herhaalde ze de handeling aan de linkerkant van het lichaam. De huid week voor de scalpel uiteen toen ze de middellijn volgde naar de pubis, om de navel heen, en de gele vetlaag van de buikholte rolde weg in het kielzog van het scherpe lemmet.

Carlos reikte Sara een schaar aan en ze wilde net het buikvlies openknippen toen Lena naar adem hapte en haar hand voor haar mond sloeg.

'Ben je...?' begon Sara, maar Lena rende al kokhalzend het vertrek uit.

Er was geen toilet in het mortuarium, en Sara ging ervan uit dat Lena het ziekenhuis op de benedenverdieping probeerde te bereiken. Te oordelen naar de geluiden die in het trappenhuis weerklonken, was dat niet gelukt. Lena hoestte een paar keer en toen hoorden ze een duidelijk gespetter.

Carlos mompelde iets en haalde de emmer en dweil uit de hoek.

Jeffrey keek nors. Hij kon er nooit goed tegen als iemand moest overgeven. 'Wat denk je, redt ze het wel?'

Sara keek naar het lichaam en vroeg zich af waarvan Lena over haar nek was gegaan. De rechercheur had al verscheidene secties bijgewoond en had er nooit slecht op gereageerd. Het lichaam was nog niet volledig ontleed, alleen een deel van de buikorganen was blootgelegd.

'Het is die lucht,' zei Carlos.

'Wat voor lucht?' wilde Sara weten. Ze vroeg zich af of ze de darmen misschien geraakt had.

Hij fronste zijn voorhoofd. 'Zoals op de kermis.'

De deur schoot open en Lena kwam weer binnen, een beschaamde uitdrukking op haar gezicht. 'Sorry,' zei ze. 'Ik weet niet wat...' Op anderhalve meter van de tafel bleef ze staan en ze sloeg haar hand voor haar mond alsof ze elk moment weer kon gaan overgeven. 'Jezus, wat is dat?'

'Ik ruik niks,' zei Jeffrey schouderophalend.

'Carlos?' vroeg Sara.

'Het lijkt wel... het lijkt wel of er iets aanbrandt,' zei hij.

'Nee,' was Lena's reactie, en ze zette een stap terug. 'Het lijkt meer op zure melk. Het doet pijn aan je kaken als je het ruikt.'

Bij Sara gingen alarmbelletjes rinkelen. 'Ruikt het soms bitter?' vroeg ze. 'Naar bittere amandelen?'

'Ja,' beaamde Lena, die nog steeds afstand bewaarde. 'Zoiets.'

Carlos knikte nu ook en het klamme zweet brak Sara uit.

'Christus.' Jeffrey liet zijn adem ontsnappen en week terug, weg van het lichaam.

'Dit moet in het staatslab afgehandeld worden,' deelde Sara hem mee, en ze trok het laken over het lichaam. 'Ik heb hier niet eens een zuurkast.'

'Ze hebben een isolatieruimte in Macon,' zei Jeffrey. 'Ik zou Nick kunnen bellen en vragen of we die mogen gebruiken.'

Met een ruk trok ze haar handschoenen uit. 'Dat is wel dichterbij, maar dan mag ik alleen maar toekijken.'

'Is dat een probleem?'

'Nee,' zei Sara terwijl ze een operatiemasker voordeed. Ze onderdrukte een huivering toen ze bedacht wat er had kunnen gebeuren. Carlos wist wat hem te doen stond en kwam er al aan met de lijkenzak.

'Voorzichtig,' waarschuwde Sara, en ze reikte hem ook een masker aan. 'We mogen van geluk spreken,' zei ze tegen de anderen terwijl ze Carlos hielp het lichaam in de zak te leggen. 'Slechts zo'n veertig procent van de bevolking kan die geur ruiken.'

'Wat goed dat je vandaag gekomen bent,' zei Jeffrey tegen Lena.

Lena's blik ging van Sara naar Jeffrey en toen weer naar Sara. 'Waar hebben jullie het over?'

'Cyanide.' Sara trok de rits dicht. 'Dat heb je namelijk geroken.' Lena kon het blijkbaar nog steeds niet volgen, en daarom voegde Sara eraan toe: 'Ze is vergiftigd.'

Nachtschade

In Grant County ontstaat grote deining als een jonge lerares wordt verkracht en vermoord. De vrouw wordt gevonden door Sara Linton, de plaatselijke kinderarts en lijkschouwer. Samen met haar ex-echtgenoot Jeffrey Tolliver, hoofd van de politie, probeert ze ondanks hun verstoorde verhouding het mysterie van de moord op te lossen. De zaak wordt nog ingewikkelder als Lena, de zus van het slachtoffer, op eigen houtje naspeuringen verricht. Dan dient het volgende slachtoffer zich aan.

Nachtschade werd door de *Washington Post* uitgeroepen tot beste thriller van het jaar en belandde bovendien op de shortlist voor de Dagger Award for Best Crime Novel van 2001.

'Een sterke debuutroman waar veel routiniers nog iets van kunnen leren.' – *Het Parool*

'Een zeldzaam goed boek, dat je vanaf de eerste bladzijde bij de strot grijpt.' – Val McDermid

'Spannend en tegelijkertijd aangrijpend. Een buitengewoon debuut.' – Denise Mina

'*Nachtschade* heeft iets van de boeken van Nicci Fren-
ch. Het sleept je mee en je hebt geen rust voor je weet
hoe het afloopt.' – *Avantgarde*

Vertaling Ineke Lenting
Prijs € 12,50
Omvang 400 pagina's
ISBN 90 234 1338 5
NUR 305

Zoenoffer

Een duister geheim werpt een schaduw over Grant County als de dertienjarige Jenny zich moedwillig laat neerschieten door politiecommissaris Jeffrey Tolliver. De ex-echtgenoten Sara en Jeffrey werken noodgedwongen samen bij het oplossen van deze zaak. Jeffrey wordt in zijn speurwerk verder bijgestaan door rechercheur Lena Adams, maar is zij wel tegen de spanningen opgewassen? Dan slaat het noodlot opnieuw toe.

Zoenoffer is het tweede boek in de Sara Linton-reeks en was, evenals *Nachtschade*, in binnen- en buitenland een verpletterend succes.

'Karin Slaughter schrijft in een beproefde Amerikaanse traditie die borg staat voor spannend entertainment. Vakwerk.' – *De Standaard*

'Slaughter wordt vergeleken met Thomas Harris en Patricia Cornwell, en deze keer is deze vergelijking niet overdreven. Slaughters plots zijn briljant en de spanning is meedogenloos.'
– *Washington Post*

'Het is niet eenvoudig om een voorbeeld als Patricia
Cornwell voorbij te streven, maar Slaughter doet het.'
– *Kirkus Reviews*

'Als je een thriller zoekt waarin de spanning geen moment afneemt en waarin het vooral moet gaan om de
personages, dan moét je dit boek lezen.' – George Pe-
lecanos

'Met *Nachtschade* zorgde Karin Slaughter ervoor dat
heel wat misdaadauteurs angstig over hun schouders
begonnen te kijken. Met *Zoenoffer* laat ze de meesten
van hen mijlenver achter zich.'
– John Connolly

Vertaling Ineke Lenting
Prijs € 12,50
Omvang 432 pagina's
ISBN 90 234 1337 7
NUR 305

Een lichte koude huivering

Op de campus van een universiteit vinden in een week tijd enkele studenten onder mysterieuze omstandigheden de dood. Terwijl kinderarts en lijkschouwer Sara Linton het eerste lichaam onderzoekt, wordt haar hoogzwangere zus Tessa door een onbekende aangevallen.

Sara's ex-man Jeffrey Tolliver leidt het onderzoek en dat brengt de nodige spanningen tussen hen teweeg. Ook oud-rechercheur Lena Adams is bij de zaak betrokken. Sinds haar ontslag bij de politie werkt ze als bewaker op de campus. Boos en gekwetst verricht Lena haar eigen speurwerk en begeeft zich daarbij op gevaarlijk terrein.

Met *Nachtschade* vestigde Karin Slaughter zich direct bij de top van de internationale misdaadauteurs. *Zoenoffer* leverde haar de reputatie van 'vrouwelijke Thomas Harris' op. En sinds *Een lichte koude huivering* is Slaughter ook in Nederland een bestsellerauteur.

'Iemand die zo levendig schrijft en maakt dat je werkelijk gaat houden van de hoofdpersonen is een briljant auteur en heeft helemaal gesnapt waar wij als lezer behoefte aan hebben. Als ik ben bijgekomen van dit boek ga ik aan de rest van deze serie beginnen.' –
Crime zone

'Karin Slaughter komt alle lof toe voor haar messcherpe plots en de details van haar speurwerk. Maar voor mij schuilt haar grootste kracht in de personages en hun onderlinge relaties. Dit is misdaadliteratuur op z'n best.'
– Michael Connelly

'Een schot in de roos en weer superspannend.'
– *Metro*

'De boeken van Slaughter maken absoluut recht op het predikaat 'huiveringwekkend'. ****
– *Carp*

Vertaling Paul Syrier
Prijs € 12,50
Omvang 432 pagina's
ISBN 90 234 1725 9
NUR 305

Onzichtbaar

Een gewelddadige gijzeling houdt de inwoners van Grant County in zijn greep. Kinderarts Sara Linton en haar ex-echtgenoot politiechef Jeffrey bevinden zich onder de gegijzelden. Houdt de gijzeling verband met mysterieuze gebeurtenissen uit het verleden? Heeft Jeffrey duistere kanten die zelfs Sara niet kan vermoeden? Deze briljant geconstrueerde thriller is net als de eerdere delen in de Sara Linton-reeks bloedstollend spannend en bevat humor, romantiek en psychologische diepgang.

Karin Slaughter oogstte met haar debuutroman *Nachtschade* een verpletterend internationaal succes. Met *Zoenoffer* bewees ze tot de top van de internationale misdaadliteratuur te horen. Sinds *Een lichte koude huivering* is zij ook in Nederland een bestsellerauteur. *Onzichtbaar* werd door *de Volkskrant* uitgeroepen tot een van de mooiste thrillers van 2004.

'Schrijfster Karin Slaughter combineert meedogenloze spanning met personages van vlees en bloed.' – *Viva*

'Razend spannend.' – *NRC Handelsblad*

'Zo spannend dat je 's avonds niet in je bed be-
landt, dat kan alleen Karin Slaughter, de koningin van de suspense.' – *Libelle*

Vertaling Paul Syrier
Prijs € 18,90
Omvang 400 pagina's
ISBN 90 234 1576 0
NUR 305

Vervloekt geluk

In deze veelstemmige thriller wisselt een bedelarmband voortdurend van eigenaar. Overal waar het gouden sieraad opduikt zaait het dood en verderf onder de ongelukkige vinders.

Karin Slaughter – de koningin van de suspense – vroeg succesvolle thrillerauteurs uit de Verenigde Staten, Engeland en Nederland mee te werken aan dit bloedstollende kettingverhaal. Speciaal voor deze bundel schreven zij een hoofdstuk dat zich afspeelt op hun favoriete locatie.

Kelley Armstrong	Laura Lippman
Mark Billingham	Val McDermid
Lee Child	Denise Mina
John Connolly	Fidelis Morgan
Emma Donoghue	Peter Robinson
Jerrilyn Farmer	Tomas Ross
John Harvey	Karin Slaughter
Jane Haddam	Peter Moore Smith
Lynda LaPlante	

Vertaling Ineke Lenting
Prijs € 18,90
Omvang 400 pagina's
ISBN 90 234 1298 2
NUR 305

Trouweloos

Een wandeling in de bossen krijgt een sinistere wending als inspecteur Jeffrey Tolliver en kinderarts Sara Linton op het lichaam van een meisje stuiten dat ligt begraven in de aarde. Het lijkt erop alsof ze zich letterlijk is doodgeschrokken. Als Sara het lichaam onderzoekt, ontdekt ze iets gruwelijks, iets dat zelfs Sarah schokt. Detective Lena Adams, bekwaam maar zwaar op de hand, wordt van vakantie teruggeroepen om met het onderzoek te helpen. Al snel leidt het spoor naar een naburige plaats, een geïsoleerde gemeenschap en een huiveringwekkend geheim.

Vertaling Ineke Lenting
Prijs € 18,90
Omvang 460 pagina's
Verschijningsdatum
september 2005
ISBN 90 234 1811 5
NUR 305

Nachtschade
'Het sleept je mee en je hebt geen rust
voor je weet hoe het afloopt.'
ISBN 90 234 1338 5

Zoenoffer
'Slaughters plots zijn briljant en de span-
ning is meedogenloos.'
ISBN 90 234 1337 7

Een lichte koude huivering
'Misdaadliteratuur op z'n best.'
ISBN 90 234 1725 9

Vervloekt geluk
ISBN 90 234 1298 2

Onzichtbaar
'Razend spannend.'
ISBN 90234 1576 0

Betaal € 11,00 in plaats van € 12,50
Lever deze bon in bij de erkende boekhandel
De actie loopt van 01 juni 2005 t/m 31 juli 2005

Bonnummer: 900-86960

Betaal € 11,00 in plaats van € 12,50
Lever deze bon in bij de erkende boekhandel
De actie loopt van 01 juni 2005 t/m 31 juli 2005

Bonnummer: 900-86953

Betaal € 11,00 in plaats van € 12,50
Lever deze bon in bij de erkende boekhandel
De actie loopt van 01 juni 2005 t/m 31 juli 2005

Bonnummer: 900-86946

Betaal € 16,40 in plaats van € 18,90
Lever deze bon in bij de erkende boekhandel
De actie loopt van 01 juni 2005 t/m 31 juli 2005

Bonnummer: 900-86915

Betaal € 16,40 in plaats van € 18,90
Lever deze bon in bij de erkende boekhandel
De actie loopt van 01 juni 2005 t/m 31 juli 2005

Bonnummer: 900-86939